U0108059

任性出版

讀癮者的告解

文學巨著幾乎沒看過；沒給期限，一本書也看不完；
有本書買了十年才翻開……怎樣？我就是正宗的讀癮患者

I'd Rather Be Reading: The Delights and Dilemmas of the Reading Life

以閱讀引領潮流的美國知名部落客
安妮·博吉爾（Anne Bogel）◎著
謝慈◎譯

謹獻給那些曾經在睡覺時間，
躲在棉被下藉著手電筒看完一本書的人。

「啊，能被閱讀者們環繞，感覺真好！」

——萊納．瑪利亞．里爾克（Rainer Maria Rilke），
德語詩人

「書本寫作了我們的人生故事。當書本堆積在我們的書櫃（還有窗臺、沙發下和冰箱上）時，也成了我們人生故事的章節。不然還有別的可能嗎？」

——安妮．法第曼（Anne Fadiman），
記者兼散文家，作品透露對社會少數族群的關懷

目錄

國外盛讚

「安妮・博吉爾這本富有哲思的散文集提醒了我們，即使對於最疲憊的閱讀者來說，也沒有什麼事比迷失在好書中更快樂。《讀癮者的告解》是一場迷人的探險，訴說了書本如何娛樂、挑戰、改變我們。它呼籲我們要帶著喜悅繼續閱讀，並思索讓我們無法這麼做的原因。如果你自認是愛書人，就一定要讀這本書！」

——艾莉兒・羅紅（Ariel Lawhon），《我曾是安娜塔西亞》（*I Was Anastasia*）作者

「愛書的人一定會很享受《讀癮者的告解》。這本書讓我們想起了形塑我們人生的書本（可能還會在清單上多加幾本）。」

——安妮・史賓斯（Annie Spence），
任職於中西大學圖書館、《親愛的華氏四百五十一度：書堆裡的愛與心碎》
（*Dear Fahrenheit 451: Love and Heartbreak in the Stacks*）作者

「安妮・博吉爾的新書是一封寫給閱讀生活的情書，既充滿溫度，亦富含魅力和智慧，一如她的讀者們所期待的。我在書中找到了我自己，以及閱讀時的夥伴，我相信你也會。」

——賈瑟琳・傑克森（Joshilyn Jackson），
紐約時報暢銷書《幾乎是姐妹》（*The Almost Sisters*）作者

「安妮・博吉爾的這本散文集既私人又有趣，就像由書本繪製成的自畫像，編織了她過去和現在的閱讀樣貌。本書是她對於書本的迷人觀點，不只是享受好故事的方法，也告訴我們如何成為完整的人。她相信，在我們需要的時候，書本總有辦法來到我們身邊。」

——凱瑟琳・葛里森（Kathleen Grissom），
《廚房屋》（*The Kitchen House*）作者

「愛書人一定會喜歡這本書，作者睿智的評論會使我們一邊笑，一邊點頭贊同。無論你是一口氣看完，或是反覆重讀，本書都將讓你對自己獨特的閱讀生活充滿感激。」

——莎拉・麥肯錫（Sarah Mackenzie），
《朗讀家庭》（*The Read-Aloud Family*）作者、
主持播客節目《朗讀的復興》（*Read-Aloud Revival*）

「書本使我們成為現在的自己，也讓我們變得更好。安妮・博吉爾精彩的散文集《讀癮者的告解》是愛書人的人生旅程，將使我們再次愛上書本。」

——珍・蒙特（Jane Mount），
「理想書架」創辦人、《戀書癖：給愛書人的插畫雜記》
（*Bibliophile: An Illustrated Miscellany for People Who Love Books*）作者

推薦序一

我們找書，書也找我們

知名粉專「閱讀人」主編／鄭俊德

我是閱讀人，現在主要的工作就是推廣閱讀，甚至將閱讀作為我的工作正職。

也因為慢慢累積出百萬社群的聲量，認識的人與網友也漸漸多了，常常遇到網友寫信問我書單，希望我能提供一些解惑良方，來解決他們當下的問題與困擾。

這些問題五花八門，從感情問題、人際關係、生涯規畫，甚至到電磁

學、經濟學這些我完全不擅長的專業領域。

一開始我還真的很用心幫忙找些書單，生怕辜負了「閱讀人」這個名號，待終於花上些時間找到幾本書名寄了過去，卻收到謝謝後就沒了回音，我心想是我給錯書單了嗎？還是這是現代人冷漠的正常反應？

這樣的疑惑一直在我心中揮之不去，直到後來，我在某本已經忘記書名的作品中找到答案，印象中這段話的含意是這樣的：

「這世界其實最不缺建議，最缺的是明知道答案，卻還希望從別人嘴裡說出來。事實上，我們要尋求的不是答案而是認同，當別人給越多建議，我們反而會覺得厭煩，因為我們只希望在當下有人願意傾聽，或是猜到我們心底的聲音。」

我們在閱讀中找自己，找的不是絕對的答案，而是我們認同的答案。

我用這樣的思維，重新回顧我過去似乎會錯意的好心，決定換個建議的方式：我會問他住哪裡，再把離他家最近的圖書館找給他，請他走一遭，花一個下午就行，然後，往自己心有靈犀的書櫃走去，隨意翻翻不用細讀，把書當作算命般的籤筒，接著有些答案會自然浮現，你想要的書會主動出現。

起初網友笑了，他說這樣好像把圖書館當廟宇，之後有些網友嘗試完，寫信告訴我他們後來哭了，因為他們真的得到了安慰，也找到了書。

所以，當我收到《讀癮者的告解》這本書的推薦邀請，翻開內文，我很快的就被書中的其中一段章節所吸引，因為剛好就提到了書會「找上我們」。

作者分享了自己逛圖書館或是書店時，不會特別規畫要讀什麼，也沒有特定的閱讀順序，然後總是在對的時間點，讀到對的書，神奇的事往往這樣發生著。

是巧合還是命運？其實我不太相信吸引力法則，因為《祕密》（*The Secret*）這本書裡頭的吸引力論點實在太玄妙，但是對於書本主動找到我們這

件事，我卻深信不疑，因為我自己試了又試，幾乎每次都靈，我們與書本的相遇似乎是冥冥之中安排好的。

在我不快樂的時候，我遇到了另一個更不快樂的作者，反而藉由他的書中故事得到安慰；在我有點懈怠之際，我從另一個有限生命的勵志作家文筆中，激起對時間的珍惜；當我似乎對未來有點茫然時，剛好就有些書中的話語鼓勵我堅持下去。

現在的你，拿起了這本書，讀了我這篇推薦序，或許也是冥冥之中，剛好這本書有些話要告訴你。

如果此刻的你，有些問題想問，卻又不知道要到哪裡找答案，我會鼓勵你打開手機的地圖應用程式，找找附近的書店或是圖書館，我想對的書就跟對的人一樣，總會主動找上你，就像是這本書一樣。

推薦序二

沒有人打開禮物，不是心懷希望

「Linda Estoy En La Luna 琳達讀讀書寫寫字」粉專版主／蘇琳達

「我熱愛閱讀，更深知書本形塑我們的意涵，無論是現在的我們抑或過去的。之於閱讀者，變老最棒的事，就是我們不會失去曾經的閱讀經驗——有時我們會深切的懷念過去的樣子，有時則覺得過往有些不忍卒睹，但一切都不曾消逝，仍是我們的一部分。」

本書作者為美國知名部落客安妮．博吉爾，擁有四個孩子的她，二〇一一年創立了自己的部落格：「現代版達西太太」。特別的是，有別於其他爭

奇鬥豔的部落客，她簡單真誠的透過推薦書籍，吸引了許多熱愛文字的書蟲們。二〇一六年，她更主持熱門播客節目《下一本該讀什麼？》，進一步用閱讀串起讀者的生活。

誠實的說，這是一本會令人看了大喊過癮的好書，因為作者毫無保留的寫下書蟲的生活點滴，例如：我們可以廢寢忘食的看完一本書、永遠有看不完的書單、不知道該如何整理快要爆炸的書櫃、常常無法在期限內看完書，或是渴望在書店裡工作。因此，每個閱讀當下，都會讓人不禁直呼：這不就是我的生活嗎？

很慶幸自己是個愛書人，儘管人生只有一次，我卻能觸摸一千個別人的故事，陪著他們笑與淚。換言之，閱讀寫作就像不著痕跡的魔法師，輕輕緩緩的翻轉我那原本平凡無奇的生命，讓它醞釀出溫婉的花朵。

二十八歲，那場痛徹心扉的失戀，促使我一個人展開環島旅行。謝謝當時臺東熱情的民宿老闆娘，悄悄放了《公主向前走》（*The Princess Who Believed in Fairy Tales*）在我床頭，使我明白王子不代表幸福，任何愛情都無法犧牲自己，我才是生命的主人。同時，我也把這段經歷寫下，參加張曼娟老師「時間的旅人」的徵文比賽，很幸運的得了佳作。

三十二歲，那場措手不及的意外，使得我左手開放粉碎性骨折，心懷恐懼的躺在床上整整三個月，更復健將近一年才讓自己恢復正常生活。不過，這場看似災難的經歷，其實是一切恩典的開始，讓我又能靜下心看書，開始重拾文筆，參與教會文字服事。

今年二月，為了記錄自己看書的心得，我創立「Linda Estoy En La Luna 琳達讀讀書寫寫字」這個粉專，意外獲得許多粉絲喜愛，認識許多愛書人、書店老闆及出版社，並和好友一起創立公眾號寫文，擁有自己的專欄網頁，也因此有這機緣，與每個正在看書的你，一起分享我的心路歷程。

人生無常，走著走著，不知道接下來會如何。但是，我明白無論高山低谷，或哭或笑，閱讀寫作總是伴隨著我的每個生活點滴。我一點也不孤單，因為如同愛人的它，讓我學會換位思考，設身處地去愛、去珍惜每個人，不再是個關在象牙塔中自憐自艾的女孩。

世界有各種不同的模樣及角度，每個人內心都有屬於自己的小宇宙，當下我們或許不能明白每個經歷，上天究竟要教導我們什麼功課？不過，我會開始選擇相信：人生終究是一份禮物，抱怨無濟於事，要滿懷希望的打開它；唯有你毫無畏懼的往前，繼續讀著寫著，才有恍然大悟的一天。

最後，祝福每個閱讀這本書的你，從現在起，展開一場屬於自己的華麗冒險吧！

前言
「書那麼多，該看哪一本？」

「你能推薦一本好書嗎？」

正因為我是作家——眾所公認的書蟲——對書本充滿熱情，所以人們總會這麼問我。我談論書籍時，就彷彿那是我的職業一樣，而以某種角度來說或許也沒錯，畢竟我每天都會推薦書本。

每當讀者告訴我，他們想找些好書來讀，這聽起來都不是太複雜的問題，也不是很過分的要求。我可以想像他們所為何來，畢竟我也曾經歷過這些。或許他們才剛看完一系列平庸的書，也可能好一陣子沒讀任何東西了；或

許他們陷入選書的泥淖，失去了為自己挑本好書的信心……他們沒有心情做選擇，只想得到萬無一失的答覆——一本他們肯定會喜歡的書。

然而，沒有任何圖書館或書店有名為「好書專區」的書架，即使有，對於好書的定義大概也和我們要談的不同。那些書架上或許會有看起來很厲害的精裝書，包含了上百本西洋文學的經典，例如柏拉圖（Plato）、西賽羅（Cicero）、但丁（Dante）等名家著作。這類的世界名著很容易找到，卻不是我們尋找好書時的目標。

我們想要找的書，是能讓我們想起閱讀初衷的書，內容精彩，就像是特別為我們個人所寫的。這些書帶給我們嶄新的思考和觀點，以及意想不到的感受，一旦開始閱讀，就捨不得放下，亦捨不得和其中的角色道別。直至閱畢闔上的那一刻，我們會感到滿足與感恩，想著：「真是本好書啊！」

假如在餘生中都能夠只閱讀好書，我自然會感到快樂。但要找到好書——無論是幫自己或其他讀者——並沒有那麼容易。對不同的人來說，「好書」的意義不盡相同。當我們談論閱讀時，通常都聚焦於書籍本身，但以閱讀的體驗來說，讀者的積極參與也很重要。

在為你找到一本好書前，我必須先知道一些事：在文字的世界，你想要追尋什麼？什麼樣的主題會激起你的共鳴？你希望透過文字，拜訪哪些地方？你想在書本中認識什麼樣的人物角色？你曾希望哪個故事永遠不要結束嗎？你上次用力摔書是什麼時候？

如果不知道你對「好書」的定義，或你是什麼樣的讀者，那麼乍看簡單的找書任務，其實非常困難。若想為你找一本好書，我不僅得足夠了解眾多書本，更必須對你有所認識。

書本只是印在白紙上的文字，我們可以放在書架上、用碎紙機絞碎，或是運送到世界各地。書本是我們可以買賣的商品，有些甚至價值不菲，有些則

會被裝箱放在地下室裡慢慢發霉。儘管我們會借書也會丟棄書，但狂熱的書蟲都知道，書本絕不局限於物質世界，紙頁上的文字可以為書中世界賦予生命。每每想到自己書架上任何一層的藏書裡，蘊藏著多少角色、故事和想法，都會讓我驚嘆不已。

對於讀者來說，我們買賣或借閱的**書籍都不只是物品而已，而是向我們招手的機會和可能性**。當我們閱讀時，會和書本建立（也可能無法建立）非常私密的個人連結。有時候，這樣的私密性甚是惱人，增加了特定讀者找到專屬好書的困難性；有時候，挑選要讀的書就像進行一場辯論，尤其在你立於書店的走道上，或是審視圖書館的書架，又或者打量著床頭櫃上逐漸加高的書堆時，但你只不過是想要找到一本好書，讓你可以在幾個小時、幾天、或幾個星期後，一邊闔上書一邊心想：「這本書太棒了。」

我們想要的只是一本好書，但閱讀是很個人的體驗。在開始閱讀之前，我們都沒辦法知道一本書對我們會有什麼意義，所以我們只能放手一試：有時會選到不對的書，這是閱讀的風險；有時會讀完一系列平庸的書，發覺自己彷彿陷入泥淖；有時會讀到一本很棒的書，可惜時機不對——縱使是同一本書，仍會對每個人帶來不同意義，身處不同的生命階段亦會如此。

閱讀的體驗很個人，有時候也很棘手。（和一般的商品不太一樣，對吧？）我們是閱讀者，因此書本在我們的人生和生命故事中都至關緊要。對我們來說，閱讀不只是興趣或打發時間，而是一種生活的方式。我們了解與書本相關的種種喜怒哀樂：在出發度假前，等不到圖書館預約書的心痛；在正式出版日的前三天，就在附近獨立書店發現露易絲・佩妮（Louise Penny，加拿大偵探小說作家）新書的激動；花了好幾個小時享受一本書後，卻發現結局很糟糕的痛苦；以及在對的時間恰巧遇到對的書，所帶來的喜悅。

閱讀並沒有舉世皆然的標準，於是閱讀者會面對各種難題，卻也體驗到

無盡的快樂。在本書裡，我們將探索閱讀的個人性，包含：什麼形塑了閱讀者、我們為書本帶來了什麼，也會發掘**如何閱讀**、**如何挑選好書**，**以及讀了沒那麼好的書**會有什麼結果，並探討為什麼有些書能引起如此強烈的連結，一窺其他人的閱讀體驗。我們將享受其中的每一分鐘，因為我們的本性使然——能夠和閱讀的同好共處，是多麼幸福的事啊！

1.「什麼？你沒看過這些文學名著！」（我也是耶）

在大衛．洛奇（David Lodge）的首部校園小說《易地而處》（*Changing Places*）中，來自英國和美國的兩位教授交換角色，在對方的職位教了一年書。其中令人印象深刻的一幕，是英國教授邀請美國教授玩一種派對遊戲；這種遊戲名為「羞恥」（Humiliation），每個玩家都必須坦承自己還沒讀過哪些重要著作，並依照在場有多少人已經讀過該著作來計分，最後得分最高者獲勝，而「贏家」的個人閱讀史顯然出了嚴重的缺漏。假如除了你之外，每個人都讀過某本書，那麼你一定會是「羞恥」遊戲的高手。

其實不只小說裡的教授們，很多人都喜歡和同伴分享閱讀時帶點小小罪

惡感的樂趣，讓對方感到訝異，或是會心一笑。例如承認有些書大概世界上只剩自己還沒看過，或是愛上了一些別人認為他們不會喜歡的書。

為什麼發現《易地而處》的英國教授沒有讀過《哈姆雷特》（*Hamlet*，英國戲劇家莎士比亞〔Shakespeare〕的作品）時，我們會忍不住發笑？為什麼發現嚴肅的朋友喜歡蘇菲・金索拉（Sophie Kinsella）[1]的小說、輕聲細語的朋友沉迷於名人回憶錄、研究宗教的博士朋友沒有讀過C・S・路易斯（C. S. Lewis）[2]時，我們也會有同樣的反應？

這類的揭露之所以如此有趣，劇作家稱為「喜劇反差」，也就是我們的預期事件和真實情況間的落差。以前面的例子來說，就是對方的實際閱讀習慣，和我們所預期的不太一樣。

二〇一一年，我將新的部落格命名為「現代版達西太太」（Modern Mrs Darcy）。這個標題不僅反映出我寫作內容的普世性和即時性，也代表我對珍・奧斯汀（Jane Austen）的熱愛（《艾瑪》〔*Emma*〕與《勸導》〔*Persuasion*〕也是我很喜歡的作品，但「現代奈特利小姐」聽起來就差了點，而安妮・艾略特〔Anne Elliot〕和我同名，恐怕造成誤解）[3]。差不多在五年後的二〇一六年，我推出播客節目《下一本該讀什麼？》（*What Should I*

---

1 著名英國女作家，以《購物狂的異想世界》（*Confessions of a Shopaholic*）聞名於世，此作品甚至翻拍成了電影。其購物狂系列小說為全球暢銷書，總銷售逾兩百萬冊，並擁有超過二十二國語言的翻譯本。

2 威爾斯裔英國知名作家、詩人及護教家，以奇幻兒童文學作品《納尼亞傳奇》（*The Chronicles of Narnia*）聞名於世，此外還有神學論文、中世紀文學研究等諸多著作。

3 珍・奧斯汀為英國小說家，代表作是《傲慢與偏見》（*Pride and Prejudice*），達西先生即為此書主角；至於《艾瑪》和《勸導》亦是珍的作品，前者的主角是奈特利先生（Mr George Knightley），後者的主人公是安妮・艾略特。

Read Next?），談論書籍、推薦書單，並擔任「文學媒人」。無論是以珍・奧斯汀的小說角色為部落格命名，或是自詡為「文學媒人」，都帶給我有趣的體驗——有太多與我會面的讀者，都覺得我們的對話像是在玩「羞恥」遊戲。

經營部落格和播客後，我發覺自己簡直像個磁鐵，吸引眾多讀者向我做關於閱讀的告解：他們覺得必須**承認自己還沒讀過哪些文學名著**，或是愛上哪些「錯誤」的書，又或者最近根本沒什麼時間看書。

這些讀者敏感的覺察自己的反差——他們認為自己的閱讀生活應該如何，實際上卻並非如此。有時候，我覺得某些讀者把這當成趣事分享。他們對自己的選擇和看法很滿意，但也享受吐露小祕密的愉悅，而我就像他們的密友，懂得欣賞他們的告解。

然而，許多讀者的閱讀生活卻讓他們難受；現實和理想的反差帶來的不是興味樂趣，而是挫折感。他們肯定自己的品味出了問題、見解錯誤百出、閱讀習慣不佳，使得「書本警察」很快就會找上門來。他們內心充滿祕密的罪惡感，覺得自己根本不是真正的閱讀者，一方面害怕自己的感受被發現，另一方面卻覺得若再不將祕密示人，自己恐怕會因壓抑不住而爆炸。

我通常是傾聽祕密的人。這些讀者可能親自上門，或在網路上找到我，並訴說：「我幾乎沒有跟別人說過這個……」然後將祕密傾洩而出：他們從沒讀過莎士比亞、喬叟（Chaucer）[4]、勃朗特（Brontë）[5]、奧斯汀、查爾斯・

---

4 英國中世紀作家，被譽為英國中世紀最傑出的詩人，也是第一位葬在西敏寺詩人角的詩人。

5 勃朗特為姓氏，指三位英國著名文學女作家，年紀由長至幼分別是夏綠蒂（Charlotte）、艾蜜莉（Emily）、安妮（Anne），三人為親姐妹，且都有代表作。夏綠蒂的代表作是《簡・愛》（*Jane Eyre*），艾蜜莉的是《咆哮山莊》（*Wuthering Heights*），安妮的則是《荒野莊園的房客》（*The Tenant of Wildfell Hall*）。

狄更斯（Charles Dickens）[6]、霍桑（Hawthorne，十九世紀美國小說家），或是高中任何可能的指定讀本。即使他們的高中確實指定了這些書，但他們就是沒讀過，甚至在沒有看書的情況下，寫下小說選讀的學期報告。（報告的成績越高，感覺就越糟。）

有些人從未讀過珍．奧斯汀的作品——特別來說，是沒有讀過《傲慢與偏見》。有些人曾經看過，卻搞不懂書中角色的各種小題大作；有些人試著讀了，卻連第一章也撐不過；有些人看了《傲慢與偏見》的書，但比較喜歡影劇版，而且甚至不是柯林．佛斯（Colin Firth，在一九九五年的ＢＢＣ電視短劇版裡，飾演達西先生）那一版（他們認為我可以理解），而是其他版本。

或許有些人家中藏書的冠軍是珍．奧斯汀全集，不過「仍舊」沒看過她的著作；有些人或許主修英文文學，也讀完所有的指定閱讀，卻痛恨其中的大部分作品，認為《白鯨記》（*Moby-Dick*）一文不值，而《聲音與憤怒》（*The*

Sound and the Fury）[7]和詹姆斯・喬伊斯（James Joyce，愛爾蘭作家和詩人、二十世紀重要作家）的所有作品皆不例外。

有些人不能理解為什麼有人喜歡《梅岡城故事》（*To Kill a Mockingbird*，一九六〇年出版即榮獲當年度普立茲獎）、《伊甸園東》（*East of Eden*，作者為諾貝爾文學獎得主約翰・史坦貝克〔John Steinbeck〕）、《大亨小傳》（*The Great Gatsby*），以及許多深受喜愛的美國文學經典。他們一點也不在

---

6 十七世紀中後期英國最偉大的作家，以反映現實生活見長，其作品不僅在他有生之年（一八一二～一八七〇）就大受好評，在二十世紀時更受到評論家和學者的認可。他的代表作《雙城記》（*A Tale of Two Cities*）至今仍於全球深受廣大讀者歡迎。

7 美國作家威廉・福克納（William Faulkner）的成名作，一九二九年出版，是美國文學史上的經典之作，受詹姆斯・喬伊斯和英國女作家維吉尼亞・吳爾芙（Virginia Woolf）影響。

乎這些，甚至說：「可以用無聊來形容嗎？」

有些人討厭《夏綠蒂的網》（*Charlotte's Web*）、《柳林風聲》（*The Wind in the Willows*）和《愛心樹》（*The Giving Tree*）[8]；有些人極度厭惡《暮光之城》（*Twilight*）系列，每次到書店都想翻桌；有些人屈服於流行，讀了《哈利波特》（*Harry Potter*）系列，然後覺得根本是一派胡言。

有些人是國三生的老師，目前利用晚上的時間沉浸於《暮光之城》系列，而且六年裡已經看了六遍。（他們說：「請別告訴我的學生。」）

有些人不懂，為何會有人不喜歡《麥田捕手》（*The Catcher in the Rye*）？他們深愛著主角霍爾頓．考菲爾德（Holden Caulfield），想知道故事情節對自己來說代表什麼，但他們可沒有正值青少年，所以很肯定這樣並不恰當。[9]

有些人沉迷於《哈利波特》系列；有些人把《異鄉人》（*Outlander*）[10]系列讀了八遍，並倒數著新集數的出版日，就像期盼著自己的婚禮或孩子誕生一樣，甚至寫信給作者黛安娜．蓋伯頓（Diana Gabaldon），拜託她寫快一點。

有些人擁有四十二本舒逸推理小說（Cozy Mystery，內容淡化性與暴力描寫的推理小說），封面上都畫著毛線球或派，或是兩者皆有；有些人著迷於消防隊的言情小說，封面上是肌肉猛男。他們甚至不會買看起來比較「含蓄」的電子書版本，因為電子書和紙本書的感覺就是不一樣。

有些人試著在海灘上翻開一本發人深省的國家圖書獎獲獎作品，卻完全

---

8 以上三部作品皆是兒童文學，前兩部為小說，最後一部為繪本。

9 《麥田捕手》本來的目標讀者是成年人，但其中青春期焦慮和隔絕的主題，讓本書迅速在青少年讀者中流行。

10 此作曾改編為電視劇《古戰場傳奇》，於二〇一四年首播。

無法投入，於是急忙跑到書店買一疊淡藍色的書——封面都是海浪和沙灘——包括艾琳．海德布蘭（Elin Hilderbrand）、瑪莉．凱．安德魯斯（Mary Kay Andrews）和陶樂西亞．班頓．法蘭克（Dorothea Benton Frank）的作品，能在度假的一個星期內全部讀完（但得獎書就不是如此了）；有些人已經一陣子什麼都沒讀了——除非平板電腦也算，或是時尚雜誌，又或是排隊結帳時看到的八卦雜誌封面；有些人的床頭上，同本書一放就是三年，壓根從沒翻開過。

有些人從沒看過超過三百頁的書；有些人不斷嘗試，卻沒辦法喜歡任何「女性作家」的書。這裡的「關鍵詞」可以替換成男性、白種人、不住在美國或英國（也能改成阿拉斯加或南美）的人。

有些人四年前從圖書館借了書，到現在還沒歸還，使得他們不敢在圖書館露臉，生怕要支付逾期的罰鍰，等於損失了一頓高級晚餐的錢。圖書館最後因為遺失的書和罰鍰，取消了他們的借書證。

有些人會叫披薩外送，省下做晚餐的時間來把書看完，或是為了把書看完，只吃麥片當作晚餐——甚至是忘了吃晚餐，一心一意把書看完；有些人上一次看完一本好書時，陶醉的感覺持續了三天，而且他們太沉浸在書的世界，只想趕快翻到最後一頁，因而沒注意到孩子在牆上塗鴉……他們也會把自己關在廁所裡，就為了閱讀時不受打擾；有些人害怕自己愛書的程度太過頭了。

無論問題是什麼，許多閱讀者總是確信只有他們有這些困擾。

閱讀者啊，無論你藏了怎樣的祕密，坦承的時候到了——我會傾聽你的告解，但你毋須得到赦免；且這些祕密並非罪惡，只是祕密而已，故亦毋須懺悔。C．S．路易斯曾寫道：「友誼誕生於一個人向另一個人說：『什麼！你也是？我以為只有我這樣。』」**閱讀者啊，你並不孤單。請繼續向你的閱讀同伴告解，訴說你真實的閱讀體驗**，他們會理解的，甚至會說：「你也是？」而當他們也是時，恭喜你找到了朋友——這正是美好讀書會的起點。

本章書單：

- 大衛·洛奇《易地而處》，企鵝出版集團（Pengguin Books，英國出版社），一九七九年出版。
- 珍·奧斯汀《艾瑪》，約翰·默里公司（John Murray），一八一五年出版。
- 珍·奧斯汀《勸導》，約翰·默里公司，一八一八年出版。
- 珍·奧斯汀《傲慢與偏見》，出版商湯瑪士·伊格頓（Thomas Egerton），一八一三年出版。
- 赫爾曼·梅爾維爾（Herman Melville）《白鯨記》，哈潑兄弟（Harper & Brothers），一八五一年出版。
- 威廉·福克納《聲音與憤怒》，喬納森·凱普出版公司（Jonathan Cape），一九二九年出版。

- 妮爾・哈波・李（Nelle Harper Lee）《梅岡城故事》，J. B. Lippincott 出版公司，一九六〇年出版。
- 約翰・史坦貝克《伊甸園東》，維京出版社（Viking Press），一九五二年出版。
- 法蘭西斯・史考特・費茲傑羅《大亨小傳》，斯克里布納之子公司（Charles Scribner's Sons），一九二五年出版。
- E・B・懷特（E. B. White）《夏綠蒂的網》，哈潑兄弟，一九五二年出版。
- 肯尼斯・格雷厄姆（Kenneth Grahame）《柳林風聲》，Methuen 出版公司，一九〇八年出版。
- 謝爾登・希爾弗斯坦（Sheldon Silverstein）《愛心樹》，哈潑出版社，

（接下頁）

一九六四年出版。

- 史蒂芬妮・梅爾（Stephenie Meyer）《暮光之城》系列，利特爾布朗出版社（Little, Brown and Company），二〇〇五～二〇一〇年出版。
- J・K・羅琳（J. K. Rowling）《哈利波特》系列，布魯姆斯伯里出版社（Bloomsbury Publishing），一九九七～二〇〇七年出版。
- 傑洛姆・D・沙林傑（Jerome D. Salinger）《麥田捕手》，利特爾布朗出版社，一九五一年出版。
- 黛安娜・蓋伯頓《異鄉人》系列，戴爾出版公司（Dell Publishing），一九九一～二〇一四年出版。

2. 書會「自己找上你」

莎拉．愛迪生．艾倫（Sarah Addison Allen，美國暢銷書作家）的處女作《花園魔咒》（*Garden Spells*）精彩動人，描述一位女性覺得自己有義務，送奇怪小禮物給鄰居和朋友，禮物包括草莓塔、五分錢（按：一百美分等於一美元，一美元約等於新臺幣三十一元）、大了三個尺碼的絲綢襯衫等等。每個禮物都帶著一點魔法，因為贈與者在送禮物時從不知道禮物本身的目的為何。

然而，禮物對每個受贈者來說卻都至關緊要——草莓塔能招待突然到訪的客人，五分錢可以打緊急電話，去店裡更換襯衫的時候，也可能發生改變一生的事——每個禮物在贈送時看起來都很奇怪，簡直毫無道理，結果卻總是受贈者最需要的事物，在對的時間帶來對的幫助。（艾倫的書通常都帶著魔法。

在《糖果女王》〔*The Sugar Queen*〕中，一位女士擁有一項特殊能力——她當下所需要的書，往往會神奇的出現在她的床頭櫃、書桌，或手提包裡。透過書的內容，她總是知道書本出現的原因，這點和草莓塔不太一樣。）

我很幸運收過這樣神奇的禮物，不過不是甜點、硬幣或衣服，而是在意料之外收到的完美禮物：書本——而且不是隨便的書，是我當下最需要的書。

我選擇書的標準，通常是靈機一動，或是參考朋友的推薦、出版日期，以及圖書館的到期日。我不會仔細規畫下一本書要看什麼，也不會排定閱讀順序；我或許會走進一間書店，在店員興高采烈的推薦之下，帶走下一本要讀的書，即使我一個小時前根本不知道這本書的存在。

可能有本書在一個星期內被三個毫不相關的人推薦過，我就會接受命運，決定閱讀該部作品；或許我的孩子堅持我應該看哪本書，抑或為了其他我自己也說不上來的原因，使我終於決定從自家書櫃裡頭，抽出某本還沒翻過的平裝書。

對於閱讀，我從不曾仔細規畫，但神奇的是，**我常在對的時間讀到對的書**。有時我覺得自己非讀某本書不可，有時則是別人覺得一定要向我推薦某本書，無論何種狀況，我當下總是不知道原因，「事後」卻發覺這本書對我非常重要——沒錯，不是開始閱讀之前，而是看完以後。或許我選擇的瞬間看似隨機，但閱讀了一半以後，我就領悟：我現在正是需要這本書！

說是巧合也好，命運也罷，又或者天意安排；再不就怪罪機緣，或是我自己的心理狀態——「當學生準備好了，老師就會出現」，諸如此類——當然，也可能只是運氣好而已。但我知道，關注周遭巧妙的暗示很有幫助，其中也包含了書本相關的暗示。

大約在十年前，似乎每個人都在推薦我閱讀達拉斯．魏樂德（Dallas Willard）的《二十一世紀天國導論》（*The Divine Conspiracy*），所以當我在

住家附近書店（現在也關門了）的架子上，發現售價僅五美元的平裝版時，立刻就買了下來，但一直沒有翻開。

過了幾年，一些遭遇給了我重拾這本書的動力，進而開始閱讀，這才發現這不是本可以快速翻過的書，一次僅能讀幾頁而已。那時我只看了幾個章節，就獲知一件晴天霹靂的消息——我的兒子被診斷出某種可怕的疾病！他本來好好的，誰知突然就不好了，令人措手不及。診斷發生在午餐前，而我們不到晚餐時間，就已經搭上飛機，準備去拜訪世界級的醫學專家。（如果必須找最頂尖的專家來幫忙，那麼代表你麻煩大了。）

我們打包得很匆忙，行李箱裡只塞了些必需品，包括我們正在閱讀的書。（我離開家時總會帶一本書，情況再緊急都一樣。）假如我正在讀的是法庭懸疑小說，或是風花雪月的言情小說，又或者親職教育書，我都會順手帶上。但當時我床頭櫃上的是《二十一世紀天國導論》，是一本關於「從此刻起，用對的方式好好活著」的書，陪伴著我走進陌生醫師們的辦公室、機場航廈、旅館房間、候診室和恢復室。

就在我徬徨無助之際，魏樂德似乎只對我一個人說話，說著我最需要聽到的內容，告訴我該如何撐下去，如何把一切想清楚，讓內心安定下來……在那段旅途中，我想不到比這更好的陪伴。

如果你曾有過類似的經驗，在各式歷程中最需要幫助的時刻，有一本對的書奇蹟似的握住你的手，那麼你就會懂這蒙受恩典般的感受。

在前幾年的夏天，帕克．巴默爾（Parker J. Palmer）的《讓生命發聲》（*Let Your Life Speak*）是我無從逃避的書——這本書我已經買了好幾年，也一直想要翻開來看，卻不斷拖延。

這本書不算太老，二〇〇〇年才出版，但也不是熱騰騰的新書了；因此，當許多親友恰好在一、兩個星期內提起這本書，談論著它對他們的重要

性，並且問我是否讀過時，我知道這是上天的暗示。

我把《讓生命發聲》從書架移到床頭櫃上。在這本書中，巴默爾掙扎於個人職涯和使命感之間，進行了深刻的討論。雖然我的閱讀同伴們不知道，但這也是我曾經掙扎的領域——這正是我當時所需要的書。為什麼是這本書，或是另外一本？當下我從來不知道原因。當然，我也會尋找自己需要的書，但有時候反過來，說「書本找上我」更恰當些，這讓我發現，書的動向十分神祕，我也因此學會注意各種暗示。

有時候，與書本的巧遇影響深遠，可說是靈魂層面的，例如魏樂德和巴默爾；**但有時候，則相對日常**，比方說一本書在你需要抒壓時讓你大笑、對你苦惱的問題提供實際建議，或是在你有需要時傳達重要資訊。

去年，我們家想把老房子賣掉。在議價的過程中，我恰好讀了克里斯·佛斯（Chris Voss）的《FBI談判協商術》（*Never Split the Difference*）。作者克里斯曾經擔任聯邦調查局的人質談判專家，在書中回憶了這段神奇的經歷。他的專長是國際擄人勒贖的談判，而故事的發展和我想像的很不一樣。（我以為綁匪想透過談判得到的東西，和他們實際上想要的截然不同。）我很佩服克里斯將高風險談判中學習到的原則，應用在相對日常的事務上，例如薪水的議價、和青少年子女聊聊一天的大小事，或是買房子。當然，對我來說更及時的幫助就是賣房子了。

我在兩天之內讀完這本書，並交給我的丈夫，他也一樣快速看完。在房屋仲介的建議下，我們實際運用克里斯的技巧：我們設了很高的定價，也不給太大的議價空間，遵循書中的守則，小心規畫每一步。結果，房子在第一天就賣出去了，而且售價比我們開出的價碼還高——又一次對的書，對的時機。

幾年前，我計畫到佛羅里達的海濱市旅行。在出發前幾個星期，我剛好讀到《不知所終的地理》（*The Geography of Nowhere*）的相關篇章；於是，

我決定開二十幾分鐘的車，抵達書上介紹的迷人小鎮。

此外，在拜訪芝加哥前，我讀了菲得利克．洛．歐姆斯德（Frederick Law Olmsted, 1822-1903）[11]的傳記《遠方的空地》（*A Clearing in the Distance*，威托德．羅伯津斯基〔Witold Rybczynski〕著），繼而參觀了他設計的公園和街區；在紐約之旅前，我又恰好讀到《適宜步行的城市》（*Walkable City*）中介紹曼哈頓的種種例子，如此的機緣巧合讓我的曼哈頓經歷更加豐富充實。

我曾經在讀完一本關於都市公園的非文學類書籍後，在雞尾酒派對上遇見一位遠親。我完全不知道她對這個主題有興趣——帶著新獲得的知識，我們不再只能談論天氣或說些客套話，而是針對景觀設計的歷史，進行了愉快的對話。我後來聽說，因為我對她深愛的主題頗有見地，讓她對年輕世代又重拾了希望。（感謝老天讓我當時讀了那本書。）

身為熱愛閱讀的人，我投注了無數的時間尋覓對的書。我不覺得這是浪費時間，因為閱讀的樂趣有一部分來自「規畫」。

但我也學到，有時候就算盡了全力，也不一定能如願找到好書；相反的，**對的書偶爾會自己找上門來，若是面臨如此情況，那麼重新整理閱讀清單也無妨**，聽從天意好好閱讀吧。

11 歐姆斯德一生從事多項職業，且著書數本。受到自然美觀點的啟蒙，再加上經常遊歷歐洲，體驗到歐洲各地公園與花園之美，歐姆斯德發現公園不僅能令人產生愉悅放鬆之感，更具有教化人性及滋養人心的功能。為此，歐姆斯德與卡福特．佛克斯（Calvert Vaux）等人合作設計建造了許多著名的公園與公園系統，其中最享盛名者為紐約中央公園。

本章書單：

- 莎拉・愛迪生・艾倫《花園魔咒》，矮腳雞出版社（Bantam Books），二〇〇七年出版。
- 莎拉・愛迪生・艾倫《糖果女王》，矮腳雞出版社，二〇〇八年出版。
- 達拉斯・魏樂德《二十一世紀天國導論》，哈潑出版社，一九九八年出版。
- 帕克・巴默爾《讓生命發聲》，Jossey-Bass 出版社，二〇〇〇年出版。
- 克里斯・佛斯（Chris Voss）的《ＦＢＩ談判協商術》，哈潑出版社，二〇一六年出版。
- 詹姆斯・霍華德・康斯特勒（James Howard Kunstler）《不知所終的地理》，西蒙與舒斯特（Simon & Schuster），一九九三年出版。
- 威托德・羅伯津斯基《遠方的空地》，斯克里布納公司（Scribner），一九九九年出版。

- 傑夫．史貝克（Jeff Speck）《適宜步行的城市》，FSG出版社（Farrar Straus & Giroux），二〇一二年出版。

3. 人都需要一本「讓我落淚」的書

我還能在腦中描繪出這個場景：接近傍晚時，偏南的斜陽從長方形的窗戶照進來，灑落至五年級教室的木桌。只見老師端坐在椅子上，雙腳腳踝交疊，手捧一本老舊的《紅色羊齒草的故鄉》（*Where the Red Fern Grows*）[12]。

---

12 故事描述小男孩比利及他的兩隻浣熊獵犬，一起征服山林裡許多難纏且狡猾的浣熊，後來獲得了其他浣熊獵人們的掌聲與尊敬；不過他們也遇到很多困難、危險、挑戰，甚至是最悲痛的分離。故事的結尾，作者安排了一個紅色羊齒草的傳奇，告訴讀者——死亡是人生的一部分，就像一天中必須經歷早晨和黑夜一樣，否則，另一個新的日子便不會到來。

我們都還不知道接下來要面對的是什麼。

老師教五年級已經二十五年了。我不記得她有給過我們什麼心理建設，但她顯然知道接下來會發生什麼事——當她朗讀完最後一頁，教室裡所有人都溼了眼眶；女孩子都在啜泣，有些人甚至哭得快喘不過氣，其他人則默默坐著，任由淚水滑落臉龐。在洗手臺前，我抽了一張皺巴巴的黃色面紙擦眼淚，這時剛好有個朋友接近，接著伸出手，於是我也給了他一張。

「謝了，」他說：「我不是因為那本書還是什麼的才哭，只是今年過敏的狀況真的很嚴重。」

「是喔，約翰。」

十歲時，我讀過的書就算沒有上千本，至少也有幾百本。但被一本書激起如此發自肺腑的痛苦和淚水，這還是第一次。在那天以前，我不知道書本居然有這樣的力量，也不知道自己竟會如此在乎書中發生的事，更沒想到會有作者能讓我相信——即使只有短暫片刻——書中發生的事是真實的。

最好的書會使我們感動，並在讀者內心激起各種情緒，有時也會令人心碎，不過不是每個閱讀者都喜歡這樣的體驗。有些成年讀者說，小學時的閱讀經驗讓他留下了一輩子的陰影，尤其是催淚的經典名著，例如《紅色羊齒草的故鄉》、《老黃狗》（*Old Yeller*）或《通往泰瑞比西亞的橋》（*Bridge to Terabithia*）[13]。然而，即使作者令我們哭泣，我們仍然欽佩他們的成就（雖然偶爾心不甘情不願）。

有時候，我們知道悲傷的橋段要出現了，且無法視而不見，甚至在拿起

---

13 故事描述主角傑西和玩伴萊絲利建立起假想王國——泰瑞比西亞，但後來萊絲利意外過世，傑西在大家的鼓勵下振作起來，放膽探索這個世界。此作品曾改編為電影，名為《尋找夢奇地》。

那些書時就**知道自己會痛哭流涕**，例如《生命中的美好缺憾》（*The Fault in Our Stars*）、《我就要你好好的》（*Me Before You*）和《紅色羊齒草的故鄉》（除非你是無辜的五年級生，還不知道會發生什麼事）。我們之所以會拿起這些有名的催淚經典，多半是不介意好好哭一場，甚至就是想這麼做。（這些幾乎都是看了必哭的作品，假如你讀完沒有哭，或許還會有點擔心：我是不是個沒心肝的人？）

有時候，某個片段會特別引起你的共鳴，卻不見得會讓其他人衝去拿面紙；**這種體驗屬於「個人」，是因為故事情節觸動了你的人生經歷**。當家中十二歲的黑色拉布拉多犬過世時，我找到一本《狗狗天堂》（*Dog Heaven*），讓所有的孩子坐在沙發上，一邊看書一邊哭泣；這本書很符合我們當下的情境，反映出我們最真實的生命經驗，以及失去的痛苦。

有時淚水來得突然，連我們自己也很意外。

某個星期日早上準備上教堂之際，我正好快聽完《明天別再來敲門》（*En man som heter Ove*）的有聲書。在故事最後幾分鐘，我還毫無防備的上粉底，完全不知道會發生什麼事。但費德列克·貝克曼（Fredrik Backman，《明天別再來敲門》作者）的文字讓我大笑，然後啜泣，而沾了粉的粉撲始終握在手上，使我不得不把臉上的淚水和一塌糊塗的妝洗乾淨，重新來過。（後來那天上教堂遲到了。）

有時候，一本好書讓我們悵然若失，懷念著曾經的可能性：夢想、孩子，或是未來。

幾年前，我讀了多莉斯·肯恩斯·古德溫（Doris Kearns Goodwin）的精彩著作《無敵》（*Team of Rivals*），此為林肯（Abraham Lincoln）的傳記。以前在歷史課上，我就學過林肯大致的生平，而每個美國學生都知道故事的結尾很悲傷；但古德溫的版本震撼了我，讓我第一次深刻體驗到，福特戲院

（Ford's Theatre）出事的那個夜晚[14]，到底奪去了什麼——他的家人當然痛徹心扉，但整個國家，甚至整個世界，也都深受影響。

古德溫首先向我們展示，林肯對於公義的追求有多麼重要，深刻描繪出他在總統任期的成就、南北戰爭後的努力，以及人們為何如此迫切的需要他。接著，林肯的劫難來了——當古德溫敘述起那個恐怖夜晚的福特戲院和整座城市，我彷彿親臨現場，第一次了解到整場災難的影響規模，甚至持續至今。我沒有料到她筆下的歷史會令我哭泣，但我的確哭了，因為古德溫讓我感受到歷史的重量。

有時候，書本會讓我們和其中的角色一起悲傷。我們會沉浸在故事中，體驗角色的喜怒哀樂，當我們喜歡的角色經歷失落，失去摯愛、友誼或純真時，我們會感受到相同的痛苦；當那個角色悲傷時，我們也跟著悲傷。有時，我們的悲傷源自該角色本身——當他們死去時，如同與一位摯友永別，足以令我們悲嘆。

有時候，書本亦會使我們落淚，因為我們不希望故事結束；這就像我們和虛構的好友一起踏上旅途，卻不想要結束生命中這段章節來繼續前進。像我女兒閱讀荷莉・戈柏・史隆（Holly Goldberg Sloan）的小說《細數生命中的小奇蹟》（*Short*）時，她哭得格外痛苦，讓我也有點嚇到。小說描寫的是一群看似不搭調的人，一起經歷了一場了不起的冒險，待他們相處的時光結束，小說也跟著結束了。當我問女兒，哭是因為快樂還是悲傷？她一邊啜泣一邊告訴我：「這是好的眼淚。」她只是太難過故事結束了。

14 福特戲院為美國首都華盛頓一個歷史悠久的劇院，位於西北區十街五一一號。一八六五年四月十四日，林肯在此遇刺，在對街的彼得森住所死亡，此後戲院被封，禁止演出，直到二〇〇九年二月十二日林肯誕辰兩百週年才復業。

我並沒有特別喜歡為書哭泣，但我認為，要得到讀者的眼淚並不容易，假如作者的文筆足以贏得我的淚水，那麼我會好好看下去。

準備好面紙，是時候閱讀了。

本章書單：

- 威爾森．羅斯（Wilson Rawls）《紅色羊齒草的故鄉》，道布爾戴出版社（Doubleday，或稱雙日），一九六一年出版。
- 佛瑞德．吉普森（Fred Gipson）《老黃狗》，哈潑出版社，一九五六年出版。
- 凱薩琳．帕特森（Katherine Paterson）《通往泰瑞比西亞的橋》，湯瑪斯．Y．克羅威爾公司（Thomas Y. Crowell Co.），一九七七年出版。
- 約翰．葛林（John Green）《生命中的美好缺憾》，杜登出版社（Dutton），二〇一二年出版。

- 喬喬・莫伊絲（Jojo Moyes）《我就要你好好的》，出版商麥可・喬瑟夫（Michael Joseph），二〇一二年出版。
- 辛西亞・萊倫特（Cynthia Rylant）《狗狗天堂》，學樂集團（Scholastic Corporation，跨國出版、教育和媒體公司），一九九五年出版。
- 費德列克・貝克曼《明天別再來敲門》，英文版由西蒙與舒斯特於二〇一三年出版。
- 多莉斯・肯恩斯・古德溫《無敵》，西蒙與舒斯特，二〇〇五年出版。
- 荷莉・戈柏・史隆《細數生命中的小奇蹟》，日晷出版社（Dial Press），二〇一七年出版。

4. 與書為鄰，於是習慣讀點什麼

一九九九年的一場對話改變了我的一生，但我當下並不知道會這樣……我甚至不在現場。我的母親當時拜訪一位長她三十歲的老朋友，且如同女性們常會做的，兩人談論起了自己的小孩。我母親把我的事告訴老朋友，說我交往很久的男朋友威爾（Will）最近開口求婚了，所以我們會在一年內結婚——就在大學畢業以後——而我們希望能在過渡期買一間城裡較便宜的房子。

「或許他們會對我的房子有興趣。」這位女士說。

雖然房子事實上不是她的，但她的好友委託她賣掉這筆房地產。屋主生前是一位充滿膽識和活力的寡婦，深受朋友和鄰居的喜愛，而她最後一筆驚人

開銷，是買下一輛引人注目的紅色跑車。這位屋主在幾年前以九十三歲高齡過世，留下這棟一九三九年建造的鱈魚角（Cape Cod）[15]小屋（她當年以兩百美元買下）。

我們動身前去看看，發現房子年久失修，外牆白色的油漆斑斑駁駁，內部的薄荷綠粉刷也是如此，地板則覆蓋著磨損的油布和破舊損壞的地毯；空調已經好幾年沒運轉，而水電工對此提出嚴重的警告。不過這棟房子感覺很棒，結構還很堅固，價格也正合我們意，而且隔壁就是圖書館——簡直完美。

我們在我二十二歲生日後的三個星期搬家，當時我還不像現在這麼愛書。我喜歡看書，但怎麼說呢？我還算不上真正的「戀書癖」。（或許該說「閱讀成癮」比較恰當？）

這間小屋離圖書館很近，是個額外的好處。我經常去圖書館，甚至還很小時就拜訪過這間分館；雖然歷史不悠久，建築也不特別漂亮，但內部的藏書豐富，館員都很友善，開館時間對讀者來說也很方便……而且「專屬於我」。

我一直很期待搬到新家，但在實際搬進去以前，我並沒有預料到一切會這麼美好。多年過後，我才真正感激自己巧遇了這個特別的地方；直到我們搬家了，我才發覺**住在圖書館附近的這段時間，形塑了我們生命的節奏。**

我很快就發現，要到隔壁看看真的很容易——既然圖書館這麼近，我自然越來越常造訪。

當時的我很年輕，沒什麼錢，而書本占了我精打細算的每月預算的一部分。幸好圖書館的預約系統很棒，讓我能在離家不到一百公尺的地方，拿到城

15 美國東北部麻薩諸塞州伸入大西洋的一個半島，一九一四年，美國在該半島與大陸連接處開掘鱈魚角運河，使鱈魚角實際成為一個島嶼。

市圖書館的任何一本館藏，整個過程只要按幾個鍵，不需要花任何一毛錢，而且在取書時還會得到一個微笑和問候。假如我需要一本沒看過的書，沒問題，隔壁就有五萬本書任我挑選，我的閱讀生活很快的充滿即時性享受。

沒想到第一個小孩出生後，一切都發生了急遽的變化。我因為渴望能有更多成人間的互動，於是產後恢復期間（生完一年後），每天都帶著二十磅（按：一磅約等於四百五十四公克）重的孩子到圖書館報到。起初幾天，圖書館的距離剛好能讓我活動一下走樣的雙腳；不過很快的，圖書館成了我短暫逃避的地方，只要一有機會，哪怕只有五分鐘，我都會一個人過去，反正到隔壁走走不是什麼大事，所以我經常這麼做，有時一天就去好幾次。

隨著孩子們成長，圖書館也成了他們日常生活重要的一部分。由於我們一天到晚都待在圖書館，館員們甚至開玩笑說要幫我做個名牌；我們甚至不曾錯過任何特別活動或是說故事時間。孩子們還小時，我不介意他們在室內只穿罩衫和浴袍；有很長一段時間，我正在學走路的孩子拒絕穿褲子，因此他去圖書館時都沒穿褲子。雖然我不讓孩子沒穿褲子就上車，但圖書館就在隔壁而已，我們連車道都沒離開（我這麼告訴自己），所以這沒什麼大不了的。

有幼童的家庭常會需要外出透透氣，即使是雨天或少見的下雪日子。圖書館是很明確的目的地，我們總是（真的是「總是」！）有個去圖書館的理由，或許是拿預約的書本，或是歸還我們讀完的（在有這麼多閱讀者的情況下，家裡的書櫃空間時常不太夠）。就連整理房間的過程中，如果我們沒到隔壁一趟，就覺得少了什麼；我們還會捐出讀過的雜誌給社區，或是把不想要的書放到拍賣的架子上。

我們認識圖書館的所有員工，而他們也認識我們。我們常會看見他們趁著休息時間，待在圖書館和我們家之間的小徑上，在樹蔭下練瑜伽，或在野餐桌前吃午餐。由於這張桌子離我的廚房比較近，反而離圖書館的櫃檯遠一些，

所以有些日子，我和館員見面的次數比看見我丈夫還多。

我們待在這棟房屋的時間，比原先規畫的還要長許多（本來只是過渡期居住的便宜房屋），全是因為我們不想要離開。我們一家搬離不久，我念小學的女兒就寫了一篇很棒的文章，述說她的第一個家，包括獨特的位置、有著樹蔭的庭院、開花的樹，以及附近的散步小徑。她的老師在第一次親師會時評論道：「**聽起來就像天堂**，你們為什麼要搬家啊？」

無論隔壁是不是圖書館，我們都得面對現實，實際一點看待問題。我們告訴老師：「因為只有一間浴室。」

同樣身為家長，老師對此十分理解。

我們在第一棟房子住了十三年，終於在幾年前和隔壁的圖書館說再見。我們接著搬進一間老房子，看起來應該是我們「永遠的家」了，但這裡有個明顯的缺點：我無法再從廚房的窗戶看見圖書館。因為想要長久居住於此，所以我們搬到新家的第一個任務，就是**組裝很多書櫃，以營造家的感覺**——只不過，這次我們得自己把書櫃填滿。

從新家到最近的圖書館並不遠，於是那裡成了我們新的閱讀空間。那是一棟美麗的老建築，藏書豐富、館員友善，而且有個漂亮的小花園；如果沒有住過第一棟房子，我或許會對於住家附近能有這麼棒的圖書館，感到十分幸運。但和一個星期去圖書館兩、三次比起來，一天去兩、三次，或是與圖書館為鄰，甚至自家後院就有圖書館，感覺還是很不一樣；前者已經很美好了，但後者之於愛書者才是美夢成真。

在隔壁就是圖書館的小房子裡，我成為一個真正的閱讀者，扎扎實實的讀了上千本書。若說到我一生至今閱讀的頁數，我很確定在小房子讀的，遠超過在其他地方讀的頁數。而且我在各種時間和地點閱讀，例如在每個房間裡，有時改到陽臺上，有時甚至一邊烤肉一邊閱讀；除此之外，我也會坐在臺階

上，邊看著孩子騎腳踏車邊閱讀，或在樹蔭底下的吊床上，或在隔壁圖書館的影子裡，盡情品賞書中情節。

或許我們都曾感慨的回首，使我們命運改變、或形塑了我們的那些對話和地點。作為一名女性和閱讀者，影響我的事物包含我母親及其老朋友當年那段對話，以及隨之而來的小房子，就在圖書館的隔壁。

5. 你幾歲遇上第一本欲罷不能的書？

自孩提時期開始，閱讀對我來說就是件輕鬆的事，無論是童書、兒童版的故事、兒童遊戲書、時光旅行小說，或是青少年讀本——閱讀很有趣，而且會得到大人的嘉許，是讓我逃離現實的冒險和休閒活動。

我也忘了自己當初是怎麼遇到露西・莫德・蒙哥馬利（Lucy Maud Montgomery）的《新月莊的艾蜜莉》（*Emily of New Moon*）[16]。蒙哥馬利比

16 此作於一九二三年出版。日本NHK教育頻道曾改編成《風之少女艾蜜莉》，自二〇〇七年四月七日播至同年九月二十九日，全二十六話。

較有名的著作是《清秀佳人》（*Anne of Green Gables*，又譯《紅髮安妮》）系列，而艾蜜莉的故事相較之下黑暗苦悶多了。在《新月莊的艾蜜莉》之前，我喜歡閱讀，甚至可說是熱愛，但沒有真正成為書本的俘虜……還沒有。

然後，《新月莊的艾蜜莉》出現了，這是我第一次在被子底下，藉著手電筒的燈光，於凌晨兩點看完一本書。我停不下來，就像被書本緊緊抓住似的無法掙脫；艾蜜莉的命運讓我深深著迷，因此在知道接下來會發生什麼事之前，我完全無法入睡——我生平第一次，沉迷在故事裡頭。

我丈夫的經驗不太一樣，卻也不算太少見。他十六歲時「喜歡」看書，但還稱不上「熱愛」；直到拿起《黑色豪門企業》（*The Firm*），他才首次真正進入書中世界。「在知道接下來會發生什麼事之前，根本沒辦法睡覺」，這般經驗讓他知道一本好書的力量，以及為什麼有些人熱愛閱讀，就連他也沉醉其中。

如今，我的孩子們逐漸長大，我也期盼他們能沉浸在好書中。當然，我的孩子已持續閱讀了許多年，但他們還在學習如何享受好故事所帶來的力量和樂趣。

我想他們已經有點心得了。去年夏天，我正值青少年的兒子開始讀阿嘉莎．克莉絲蒂（Agatha Christie）[17]的經典《一個都不留》（*And Then There Were None*）。這是學校的指定閱讀——老實說，這並不是一般會讓青少年愛上閱讀的入門書——剛開始閱讀時，兒子還有點懷疑，但就像許多好書一樣，他被深深吸入故事中，進而持續閱讀，進度甚至比學校要求的還快，因為他想

17 克莉絲蒂是公認的「偵探小說女王」（Queen of Crime），對英國偵探小說的發展有很重要的影響和富爭議的啟發，其大部分作品都曾被改編為電影或電視劇，如《一個都不留》就曾改編電影（一九四五年）、電視劇（二〇一五年）、電腦遊戲（二〇〇五年）。

看完結尾對於完美犯罪的解釋之後，再把整本著作重讀一遍；而且他想要知道接下來會發生什麼事，否則沒辦法把書放下。他說這是他看過最精彩的書，不知道將來回想起來時，他會不會說這是讓他入迷的書呢？我希望如此。

每個熱愛閱讀的人，都能說出讓他們耽溺其中的書嗎？不是他們欣賞的書，或是不得不敬佩的書，而是將他們緊緊抓住，使他們無法放手的書——我認為答案是肯定的。

這些書讓他們下定決心，要將閱讀永遠化為生命的一部分。

本章書單：

- 露西．莫德．蒙哥馬利《新月莊的艾蜜莉》，Frederick A. Stokes 出版，一九二三年出版。

- 露西・莫德・蒙哥馬利《清秀佳人》，L. C. Page 出版公司，一九〇八年出版。
- 約翰・葛里遜（John Grisham）《黑色豪門企業》，蘭登書屋（Random House，後與企鵝出版集團合併），一九九一年出版。
- 阿嘉莎・克莉絲蒂《一個都不留》，柯林斯犯罪俱樂部（Collins Crime Club），一九三九年出版。

6. 一個讓朋友羨慕（嫉妒）的小小書櫃，你有嗎？

我的許多好點子都源自於「羨慕」。這裡的羨慕並不等於嫉妒，而是愛書人都很熟悉的「書本羨慕」；或是更精確的來說——「書櫃羨慕」。這是什麼意思？待我娓娓道來。

旅行時，我們曾借住一位作家友人的公寓。這間房子被她當成第二個家，儘管裝潢不多，還是有家的感覺；她真正的家毫不意外的堆滿了書，反觀這間公寓只有幾個不大的書櫃而已，其中一個放著她正在閱讀的書，一個放著她的愛書，但還有一個混雜了各類的書，我看不明白個中玄機。

除了她常看的文學小說、推理小說和經典小說，架上還有她比較少看的

類型：詩詞、科幻小說、回憶錄、勵志書，以及步道導覽、地方歷史，和伊利諾州的小鎮食譜。我不知道這個書櫃的擺放規則，最後帶著滿心的困惑離開，直到這位作家提供了線索：她說這是「家人和朋友」的書櫃。

這個書櫃原本只放真正的朋友所寫的書，大約是十幾個她認識且交情不錯的作家朋友。因為「家人和朋友」聽起來比只有「朋友」更好，所以她也加上了「家人」，並且告訴自己，有些朋友的情誼已經與親情無異。而那之後，她的兒子所創作的一本薄詩集，也放到了架子上，讓架子的名稱在情感和現實層面都更精準。

這個點子實在太棒了，我立刻就仿效作家友人的方式，（再次）重新整理了自己的書櫃，並清空一個書架，希望能用一般朋友和形同家人的摯友所寫的書來填滿。

可惜我認識的作家沒有友人那麼多，只能再把定義放寬點，多容納一些對象。我對於標準該如何訂定十分猶豫：在研討會遇過一次算嗎？或是在簽書會？還是在出版會議的廁所？交換過一、兩次電子郵件的可以嗎？（這些問題的答案都曾經是肯定的。）

最後我放進書櫃的書本，其中有些作者是在推特上認識的，也有些碰過幾次面，一起吃過晚餐或喝過小酒；書櫃上也放著真正朋友的作品，這類朋友和書的數量每年都在增加。

有些老朋友變成了作家，有些新朋友則是因為寫作而認識。有些作者是當我覺得截稿期限快殺了我時，我會打電話或傳訊息過去聊聊的；有些朋友則是當他們被截稿的壓力害死時，我會跳上飛機參加他們喪禮的。有些作家朋友看過我家水槽堆滿骯髒碗盤的樣子，我也在他們家看過類似的景象；有些作家朋友認識我的孩子們，而我也認識他們的。

不過，有些陳列在書櫃裡的作者並不是我的親友，而是我希望能結交的

朋友，或是對我影響深遠的人——這些人似乎真的了解我，卻永遠不可能坐在我的餐桌旁，搔搔我家狗兒的耳朵，或是使用我家不太乾淨的廁所。雖然百餘年的時間差距，使我們不會有機會認識，除了書頁以外也不會有相遇的機會，但這些靈魂仍感覺與我十分親近。

我很想把珍．奧斯汀的書放進這個櫃子，但做不到；她的書仍然安放在我的愛書區，陪伴著溫德爾．貝瑞（Wendell Berry，美國小說家、詩人、散文家）、瑪莉琳．羅賓森（Marilynne Robinson）[18]和華勒斯．史達格納（Wallace Stegner）[19]——這些作者會督促我拿出最好的表現，只可惜氣勢太強，感覺並不像朋友。

有些作者的書會在這個櫃子裡，是因為我總是直接用名而非姓稱呼對方，即使這樣的親密可能會嚇到他們。多年來，我總是只用「魏陶德」稱呼魏陶德．黎辛斯基（Witold Rybczynski，加拿大裔美國建築師、教授和作家），因為我怕把他的姓氏念錯得太離譜。達拉斯．魏樂德對我來說也只是「達拉斯」，不過倒不是因為魏樂德有多難發音，而是因為長久以來經常談論到他，一直叫全名感覺有點蠢，而只喚作「魏樂德」也怪怪的。相同的，瑪德琳．蘭歌（Madeleine L'Engle）對我來說是「瑪德琳」，因為我覺得我們一定能互相理解。我時常提到這些作家，且針對的是很個人的層面，因此將他們放在「家人和朋友」的書櫃似乎很合理，即使這些作家根本不知道我的存在。

---

18 羅賓森是美國小說家和散文家，寫作生涯中獲獎無數，包括二〇〇五年的普立茲小說獎（《遺愛基列》〔*Gilead*〕）、二〇一二年的美國國家人文獎章，以及二〇一六年美國國會圖書館美國小說獎。二〇一六年，她更被時代雜誌評選為一百位最具影響力的人物。

19 史達格納是美國歷史學家、小說家、短篇小說作家、環保人士，常被稱為「西方作家的院長」。他在一九七二年贏得普立茲小說獎（《休止角》〔*Angle of Repose*〕），在一九七七年贏得美國國家圖書獎。

當我心情特別好，或是書櫃看起來有點空時，我會稍微讓虛擬和現實的界線模糊一些，基於我認為自己可能和「他們」成為朋友，放上某些著作……我說的不是作者，而是書中的人物，像是安妮·雪莉（Anne Shirley）、喬·馬其（Jo March，《小婦人》〔*Little Women*〕中作者本人的化身）、維若妮卡·瑪斯（Veronica Mars）[20]……我可以一直舉例下去，但你大概已經在質疑我的判斷標準了。

剛開始整理「家人和朋友」的書櫃時，我覺得有點蠢，對於自己為了填滿書櫃發揮的創意也有點不好意思。我的家庭成員有人在寫作嗎？沒有。我有足夠的朋友從事寫作，讓我填滿書櫃嗎？沒有。

嫉妒本是七宗罪之一，但「書櫃羨慕」抽離了嫉妒中的負面情緒，無疑成為靈感的來源之一。

重新整理書櫃這件事，改變了我對書本和作者的看法；在這些書櫃裡，我整合起自己的小圈圈，這個圈圈裡**納入了讓我感到親近的書，以及對我來說很重要的人們。**

本章書單：

・露意莎・梅・奧爾柯特（Louisa May Alcott）《小婦人》，羅伯特斯兄弟（Roberts Brothers），一八六八年出版。

20 以上三位分別是《清秀佳人》的主角、《小婦人》中四姐妹的二姐（原名喬瑟芬，書中簡稱喬）、《偵探小天后》（*Veronica Mars*）的主角。

7. 出發吧！為了讓書裡的情景成真

人們閱讀的理由很多。

懷抱近四十年的人生經歷，我可以告訴你為何我像吸取氧氣一般吸收書本：對於只有一次的生命，我充滿感恩，但我想要活一千次——我喜歡的書本能帶給我許多體驗，此乃真實生命中不可能擁有的。好書讓我踏進另一個世界，體驗完全不同於日常生活的人們、地點和情境；我喜歡體驗新的事物、不可能的事物，尤其是在我舒服坐在椅子上時。

和現實相比，閱讀還有另一個好處：在書本中，我們能比現實人生提早獲得許多陌生的體驗，諸如墜入愛河、痛苦分手、失去親愛的寵物或家人，抑或是離家讀大學、找到新工作、和室友起衝突、和伴侶爭吵。翻過一頁又一頁，書本將我們深深拉入其他人的生命中，讓我們透過他們的眼睛看世界。從我們所在的地方，書籍帶我們踏上興奮的冒險，招手邀請我們到塞納河畔漫步、穿越撒哈拉沙漠，或是走過曼哈頓的人行道。

書本讓我們在安全的空間裡頭，遭遇陌生的情境、練習在陌生環境中生存，並嘗試認識新的人、體會新的經驗。透過閱讀，我們學習處理歡欣、恐懼、失落和悲傷等情緒，同時學習面對惱人的手足、友誼的危機，或是更糟的事件，如此一來，當我們在生命中真正遇到這些事時，就不會感到太陌生，因為我們早在書中體驗過了。**能如此在書本中「預習」人生經驗，是許多閱讀者的樂趣**；但我並不總是這麼覺得。

小時候，我偶爾會覺得自己與現實生活格格不入，因此想要進入書中的世界；那些世界和我平凡的經驗相比，似乎充滿了意義，也有趣許多。相較於小說人物的身分、背景和經歷，中產階級出身、就讀小學的我顯得太過平庸，因而想成為紅髮少女凱蒂．伍隆（Caddie Woodlawn，同名小說的主人公）、《小公主》（*A Little Princess*）[21]的主角莎拉．克璐（Sara Crewe），或是夢遊仙境的愛莉絲（Alice）。不過我不希望自己的人生只是模仿藝術；我希望閱讀的內容能和我的真實經驗產生連結。

我挺喜歡一九九八年上映的電影《電子情書》（*You've Got Mail*）。這部浪漫喜劇的靈感來自《傲慢與偏見》，由梅格．萊恩（Meg Ryan）飾演經營獨立書店的凱瑟琳．凱莉（Kathleen Kelly），湯姆．漢克（Tom Hanks）飾

---

21 英國作家法蘭西絲．霍森．柏納特（Frances Hodgson Burnett）的作品，曾由日本動畫公司改編為動畫，全四十六集；引進臺灣播映時，片名為《莎拉公主》，由於知名度極高，之後重播與發售授權版DVD遂沿用此名。

演她的死對頭喬・福克斯（Joe Fox），是邪惡大型福克斯書店的所有人，威脅要讓她的書店歇業。電影有所有我喜歡的元素：珍・奧斯汀、曼哈頓的上西城（Upper West Side）、充滿書本和閱讀的世界，因此，我看這部電影的次數頗多，雖然說起來有點尷尬，但也不太令人意外。

我在大學時第一次看《電子情書》，就立刻愛上凱瑟琳・凱莉；縱使我已經不像小學的自己，夢想進入每一本小說的世界裡，但她仍然引起我強烈的共鳴，連我自己也嚇了一跳——一直以來，我都害怕安於自己的真實生活，而凱瑟琳也在其中一幕這麼感嘆：「我在生活中看到的許多事物，都讓我想起曾經讀過的書，難道不應該是反過來嗎？」

是什麼情境觸動了她呢？

她曾讀過一個關於蝴蝶飛進地鐵車廂的故事，然後……她看見一隻蝴蝶！電影裡，凱瑟琳坐在顛簸的電車上，一本打開的書擱在膝上，而一隻蝴蝶突然飛進她的視野。觀影者如我們，可以看出她發自內心的喜悅——曾經只在書本中看過的成真了。

但接著，她開始思考自己的經驗，是否並不如想像的珍貴，因為在體驗之前，她就已經讀過了。

二十歲的我也和她一起思索這個問題，但我已經不是小時候那樣的閱讀者了，我知道閱讀其實不常「貶損」現實體驗，相反的，我曾經見證過書中經驗，如何成就我們的現實生活。書本為我們打下基礎，讓我們在遭遇事情時——不管是換工作、經歷意外失去親人的痛苦，或者在義大利的托斯卡尼度假——都能有更深刻的了解及體悟。

有時候，源自書本的體驗對我們意義重大，讓我們刻意在現實生活中仿效。我們會因此參加某些課程、進行某個計畫、探訪不同的城市……或是像我一樣，前往某間書店。我們會去見我們喜歡的現代小說家，或是造訪偉大作家

的故居，例如奧斯汀、勃朗特、薩爾達・費茲傑羅（Zelda Fitzgerald）22，以及《聲音與憤怒》的作者威廉・福克納。這些旅行之所以重要，不僅只因為是我們的現實體驗，更因為動機源自於我們過往的閱讀。

許多年來，我都會拉著我的丈夫去各種文學景點；去年，我們全家總動員至曼哈頓的神奇之書（Books of Wonder），來一場朝聖之旅——這裡是《電子情書》中轉角書店的靈感來源。我們一家都喜歡參觀書店，而神奇之書更是深得我們全家人的心，但真正讓我們覺得珍貴的是，我們已經在虛擬世界拜訪過這間書店。

初看《電子情書》的好幾年後，我搭火車經過科羅拉多山脈的高處。那天溫暖且晴朗，隨著火車一路爬升，一隻蝴蝶從敞開的車窗飛進來，穿過整段走道，暫停了一下，然後從另一扇窗戶飛回高山的天空中。許多年前在虛擬世界中經歷過的事，如今發生在我身上，使我的體驗相較當年豐富許多；因為曾在腦海中想像過相同的故事，所以**當相同情節在生命中真實發生，對我來說反而更加意義深遠，亦讓我回想起自己曾經體驗的特別時刻**，但其意義並不會因此受到絲毫減損。

雖然對凱瑟琳・凱莉有點不好意思，但我體認到的和她不一樣：**假如我的現實生活讓我想起書中的內容，那代表我讀來深切，大概也生活得很好。**

---

22 美國小說家，其丈夫為法蘭西斯・史考特・費茲傑羅（Francis Scott Fitzgerald），即《大亨小傳》的作者。

本章書單：

• 卡洛・瑞麗・布林克（Carol Ryrie Brink）《凱蒂・伍隆》，西蒙與舒斯特童書，一九三五年出版。

• 法蘭西絲・霍森・柏納特《小公主》，斯克里布納之子公司，一九〇五年出版。

8. 愛書之人的最佳裝潢法則

一、若想擁有美麗典雅的書櫃，請遵循這個裝潢大師法則——每個書櫃應該有三分之一放書，三分之一擺放裝飾品，剩下三分之一空著。

二、別管裝潢設計師怎麼說。如果你熱愛書本，那麼打從一開始，就不可能有足夠的書櫃空間。

三、確立分門別類的方式。

如果按照字母順序擺放，就能確保每次都能找到想要的書，但書蟲的煩惱還多著呢；如果依照彩虹的顏色來整理，不這麼做的人一定會嗤之以鼻，可是你的書櫃會美得讓人屏息；如果既想讓朋友摸不著頭腦，又想每次都順利找到書，那麼就用「平凡的追求」（Trivial Pursuit）[23]當作標準吧：如果選擇杜威十進圖書分類法[24]，朋友們一定會刮目相看，讓你成為派對上的熱門話題。

四、敞開心胸，接受不同的可能性。

如此一來，你可能很快就會改變歸類的方式了。正如有些人會在閒暇時間打網球，有些人會編織或剪剪貼貼一樣，身為愛書人，我們的興趣當然是好好整理書櫃。

五、對書的書衣懷抱強烈情感。

當你把書本放進櫃子裡，切記保留書衣，因為書衣也是設計很重要的一部分。雖然每次看書櫃時，都覺得書衣很刺眼，但假如拆掉回收，將來遲早會後悔的。

六、聽從設計大師威廉·莫里斯（William Morris）的教誨。

威廉·莫里斯有句名言：「不要在家中放任何你認為不實用或不美觀的

東西。」雖然不喜歡也不會讀，但你還是可以買下外觀美麗的書，例如：《讀者文摘》（*Reader's Digest*）、簡明版經典、企鵝出版集團的圖書、兒童版名著。當書的文學價值不高，外表就更該有吸引力。

七、**如果想讓房間「安靜」下來，就把書背朝內吧**，就像你在網路上看到的美照那樣。

雖然，這麼做會讓你找不到你要的書，但看起來會很棒。

---

23 一款源自加拿大的桌上遊戲，共有六種顏色的卡片，分別代表不同領域的問題（例如藍色代表地理、黃色代表歷史等），先集滿六色的玩家獲勝。

24 此分類法由美國圖書館專家麥爾威．杜威（Melvil Dewey）於一八七六年首次發表，歷經二十三次的大改版，目前最新的版本為二〇一一年版。該分類法以三位數字代表分類碼，共可分為十個大分類、一百個中分類及一千個小分類。除了分類碼外，一般會有兩位數字的附加碼（兩者以小數點隔開），來代表不同的地區、時間、材料或其他特性的研究。

八、把重複的書處理掉。

假如同樣的書有兩種版本，留下設計比較好看的那本就好。

九、假如你沒辦法丟掉任何一本重複的，就再買第三本吧。

在書本的世界裡，二是個寂寞的數字；同樣的書有許多版本也沒關係，相較於只有兩、三本，你擁有越多本，反倒會給人有趣的感覺。你的朋友或許會用「偏執」這個詞來形容你，但他們也得承認你的執著很有趣。

十、建立自己的藏書。

簽名版、初版都是常見的收藏項目，但不僅限於此。你可以蒐集自己最愛的小說的所有版本，包含再版和外國譯本，或是蒐集所愛作者的全部作品，也可以根據「清單」來蒐集，例如所有的普立茲獎、雨果獎[25]或紐伯瑞獎[26]得獎著作；只要根據你感興趣的主題蒐集所有作品，無論是園藝或國家公園體制，哪種主題都沒關係。或許你也可以買齊同一系列的書——書皮設計雅緻的系列書、哈潑柯林斯出版集團（HarperCollins Publishers L.L.C.，總部位於紐約的出版公司）的輕快橄欖綠系列平裝書、色彩繽紛的兒童插畫版名著，或是成人版的經典名著皮革書——並排在架子上，這會帶來很棒的視覺效果。假如你原先陳列是依照字母順序或顏色，這大概會完全破壞你的排序標準。

十一、參考第四點，重新想想你的書籍分類系統吧！

十二、移除書櫃裡不喜歡的書，把它們丟到最近的免費圖書館。

不過，假如你的書櫃還有很多空間，就先暫時留著。書櫃裡放不喜歡的

---

25 一個頒予每年最佳科幻和奇幻作品的獎項，在一九九二年以前，官方名為「科幻成就獎」。此獎的名稱由來是雨果·根斯巴克（Hugo Gernsback），他被視為「科幻小說之父」。

26 專門頒給兒童文學的文學獎。得獎者必須為美國公民或居民，並會發表於美國文學協會的冬季會議及夏季討論會上。

書，總比沒有書好。

十三、假如你的書本數多過於書櫃的容納量，那麼任何能放書的櫃子，都能當成書櫃。

十四、假如你的櫃子還是放不下，就組裝更多書櫃吧。

作家安娜．昆德蘭（Anna Quindlen）是這方面的專家，她曾經這麼寫：「假如我的孩子長大以後，認為裝潢最主要的任務，就是組裝足夠的書櫃，那麼我就心滿意足了。」

身為愛書之人，這就是我們的裝潢方式。

9. 建議書單？我沒有耶

很久很久以前，我的好朋友經歷了慘痛的分手，痛苦程度大概比你想像的還嚴重個五倍左右。事情發生之後，我希望能讓她好受一點，卻做了一件很糟糕的事，儘管我立意良善，仍不改錯得離譜這個事實——我送了她一本書……好吧，是兩本。

關於第一本書，我並不後悔。我碰巧在網路上看見一本新書的書評，主題是她很著迷的領域。我很確定她不知道這本書的存在，而且這本書的奇異程度恰到好處，就算內容真的讓人過目即忘，至少她會覺得我沒有忘記她這個朋友……我們始終相信閱讀的療癒力量，或許這本書能暫時讓她從分手的痛苦中

分神。

但是第二本書呢？是的，我送了她一本「自認為對她有益」的書，覺得她應該要讀，也覺得這本書能讓她成為更好的人。儘管這本書有助於人格塑造，但我並不認為她會喜歡（即使她「應該」要喜歡），畢竟這本書述說的是我認為她應該成為的人，而不是她真實的樣子，或是她理想的目標。

假如第一本書所傳達的是：「我愛妳並惦記著妳」，那麼第二本書就是大叫著：「但妳可不可以快一點振作起來？」當然，我當下並沒有想這麼多，因為**我忙著當個自以為是的笨蛋**。

我希望朋友能好好的，而我推薦的書反映了這一點；只不過書本的主旨，同時也反映出我認為她當時的人生一團亂，她應該努力做點什麼才對——這可不是我引以為傲的時刻。

我們不應該對朋友的生活方式指手畫腳，除非對方希望我們這麼做，就

算對方開口要求，也應該謹慎以對。這一點我當時也知道，卻沒想到**送書也可能代表相同含意**。我們不應該告訴另一個成年人該讀什麼書、何時讀，或怎麼讀，如果對方沒有開口詢問，那麼即使是最棒的建議（本身反映了你對收受者的看法），都會讓人覺得很唐突，既不受歡迎又多餘，而且沒有任何幫助。

在閱讀這方面，我那時顯然太專制了。

去年，我們家要搬到其他行政區，而首要面對的艱鉅挑戰，就是移動全部的藏書。我們的藏書量或許算不上最多，但搬起來還是一點都不好玩，所以為了減少搬運的數量，我歸還了許多借來的書。（我們的家人圈和交友圈中，隨時傳閱著許多書籍，借閱是我們的生活模式。）當我把要歸還的書堆到玄關時，我發現這些書都有個共通點：我一本都還沒看。

其中一本和某個社會正義的議題有關，我的朋友希望我能和她一起推動該議題；另一本小說則是她認為像我這樣熱衷閱讀的人，應該早就要看完的。

此外，有一本書介紹了某項活動，一位朋友認為我如果擁有這個興趣，就會變得更快樂；另一本介紹的則是每日冥想的好處——這些書都是朋友們希望我能看，或是覺得我「應該」要有興趣的。

還有一些書是我開口借的，當初甚至還特別親自去取書；這些例子裡，我自己就是使用了邪惡的「應該」兩個字的人——在內心深處，我認為自己應該要讀過這本書或那個作者的作品，或是對某些領域有更豐富的知識才行。

「應該」是個危險的警訊，象徵著我們已經跨越了界線，在閱讀上變得專制蠻橫。「應該」總是和罪惡感、挫折與後悔等情緒糾纏不清，因為每當我們使用這個詞時，多半是希望自己可以變得更好、做得更多，或是做得不一樣；此外，也可能表達了我們希望朋友能有什麼改變，而假如他們知道什麼有助於他們，就應該要做出改變。

「應該」就是這樣專制蠻橫的字眼。

然而，閱讀上的專制也有程度的分別。程度輕微的專制，感覺就像是對於書本的強烈熱忱有些走偏了，其實大多數人最初的本意，都不是對別人的閱讀生活指手畫腳，但最後卻演變至此。這種症頭的表徵是：不請自來的好書推薦——無論是當面傳達、文字訊息或電子郵件，總是毫無預兆、無緣無故。

中度專制的症狀：直接把朋友並未要求的書拿給對方、放在信箱裡、帶到對方家中、喝咖啡時交到對方手中……任何包含了「你看過這本書了嗎？」的對話，都可能使專制的程度再升溫。

重度專制的人則會對於其他人閱讀生活的任何層面，提出具體且唐突的批評指教：「如果想彌補學歷上的可怕缺口，應該讀什麼書？」、「想解決私生活中嚴重的問題，又該讀什麼？」、「接下來應該要買什麼書，才能讓個人藏書更加完整？」、「對某一本書應該要有什麼感覺？」……重度專制的人也會仔細審查別人的書櫃，評論著哪些書才值得一讀之餘，還會伴隨各種嘆氣和

嘖嘖聲。

我在閱讀上表現出專制時，總覺得自己樂於助人、博學多聞、仁慈關愛，或是聰明靈巧；然而，實際上卻是用批判的態度，推薦許多對方永遠不會看的書。這並不是書籍本身或建議的內容出了問題，而是傳達的方式不對。

當我變得專制，根本沒有人想看我推薦的書，即使那本書和對方完全契合，或對方也覺得讀了之後生活能有所改善。不過這不怪他們，畢竟易地而處，我也會有同樣的感覺，我猜每個人都是如此。

「越是努力的推薦一本書，對方就越不可能真的去看」，這一點在我自己的家庭裡格外明顯。以我的孩子們為例，他們雖然很愛我，大部分時候也會聽取我的建議，不過在閱讀生活方面卻不接受我的專制。

我的孩子對閱讀都充滿熱忱，既有規律的閱讀習慣，涉獵範圍也十分廣泛。我不會指導他們該讀什麼書，但他們知道隨時可以尋求我的建議；然而，假如我希望自己的小孩（或任何人的小孩）能讀某本書，我絕對不會沒來由的直接命令他們。（再強勢一點？省省吧，他們幾年之內都不會碰那本書的。）

我的孩子們什麼都讀，只要他們認為出於自己的想法或選擇，就會主動快樂的閱讀。因此，我讓他們自己決定要讀什麼書。我或許會告訴學校的圖書館員，孩子們可能喜歡哪一本書，或是哪個朋友也很喜歡，但除非我的孩子親自開口，否則我不會告訴他們該讀什麼；即使真的給了建議，我也不會用邪惡的「應該」一詞。

閱讀者會希望發現「自己」想要讀什麼，而且是自行發覺。或許你可以想像自己是《戀愛必勝守則》（*The Rules*）[27]的死忠讀者，玩一點小手段，表

---

27 本書旨在告訴女性，唯有高自尊和自信才能有吸引力，也提供一些約會的法則。

現得欲拒還迎，但很清楚自己要的是什麼，也不怕暫時拒絕，最終才能達成目的。《戀愛必勝守則》或許充滿了讓人存疑的約會建議，然而事實證明，那些在閱讀生活方面會是很有效的策略。

本章書單：

- 艾倫．費恩（Ellen Fein）、雪莉．史奈德（Sherrie Schneider）《戀愛必勝守則》，華納圖書（Warner Books），一九九五年出版。

10. 書蟲的煩惱是一種快樂

書蟲常遇到一些狀況值得煩惱，像是……你在圖書館預約的書一口氣都來了，而你的借閱數目已達上限，但還有九本書等著你去領取；為了保持良好的讀者紀錄，你必須決定放棄哪些書。你從圖書館借了太多書帶不走，沒辦法全部放進你的手提袋裡。有時候，你甚至忘了帶你的手提袋來裝書。

還有：你冒著大雨去圖書館，使你的手提袋被摧殘得體無完膚。你不再住在圖書館隔壁，因此無法每天去拿預約的書。你一個月沒去拿的預約書籍，已經在圖書館堆積如山。當你把一大堆書放在車上，車子一直發出警示，誤以為你載了未繫安全帶的乘客。

因為沒辦法決定下一本要看什麼，所以你一口氣拿了五本書。因為沒辦法決定要先看哪一本書，你只好在出門時隨手把三本書塞進包包，導致包包太滿。為了為期五天的度假，你總共打包了十二本書，只因為你不確定要先看哪一本。

有時候，一本好書只看到一半，你卻得去上班，或吃晚餐，或上床睡覺。有時候，由於看一本好書看得太過投入，所以你忘了吃晚餐。有時候，心裡想著「再看一章就好」，你就這樣一直閱讀到凌晨兩點，而你隔天完全睜不開眼睛。

你最喜歡的書被翻拍成電影，但你不敢去看，因為你比較喜歡自己腦海中想像的角色模樣和聲音，也可能你喜歡的場景被刪掉了，又或是電影改編得太差勁。

有時一本好書看了三分之一，你才發現自己意外買到了簡化版，或是看到一半才發現這是一系列的其中一本，而且還是第四本。有時你看完了緊張刺激的結尾，心懸在半空中想知道接下來的發展，才發現作者根本還沒開始寫下一本，或是預期的續作出版日期在四年之後。有時伴隨著殷切的等待，你最愛的作者終於出版了久違的新作品，卻寫得很糟糕。

當你需要搭飛機旅行，航空公司對你託運的一整箱書本皺起眉頭；這堆書你平常都塞在車廂裡，是專門為長途旅行準備的。飛到一半時，你發現自己沒有下載已購買的電子書，或是電子書閱讀器的電池沒電了，且電量偏偏在內容最精彩的部分耗盡。

可能一輛貨車在賓州翻覆，而你的書剛好在車上。也可能冰風暴造成達拉斯的物流中心關閉，而你的書正好在那裡。

你終於成功說服朋友看你一生摯愛的書，她卻只給了三顆星；你說服另一半閱讀你的愛書，卻只得來「還可以」的評語。無論你再怎麼苦苦哀求，你

的讀書會都不願意讀你的愛書；無論你如何嘗試，你的孩子都不願意看你最愛的童書。就算你終於說服孩子去看你愛的童書，他卻看了一些後說：「我就是看不下去。」

你的閱讀清單上有將近九千本書，而你每一本都想看；無奈你的清單太長了，毋庸置疑在此生之內都不可能看完。你的清單列出來，比你的手臂還要長，但你還是無法決定下一本要看什麼。你家裡有數不清的書還沒看，但你唯一有心情看的書還要六個星期才會出版。明明家裡有太多書還沒看，你卻還是忍不住買了新書。

你不知道某個角色的名字該怎麼念，而在確定正確的發音之前，你都沒辦法真正認識這個角色。你想向全世界介紹一本好書，但你不確定作者的名字怎麼念。你想向所有人推薦你愛的書，又唯恐封面設計得太糟，會讓朋友們唾棄整本書。你想宣揚某本書多麼精彩，不過書名真的太蠢了。一句話說到一半時，你發現自己不知道某個字該怎麼說出來，因為過去你只對自己說過，而且是閱讀時在腦海中說的。

你看書看到睡著，醒來時嚴重落枕。你在移動的交通工具上閱讀，覺得頭暈目眩。你想改成聽有聲書，但如此一來，就要花更多時間才能知道結局，於是你只好繼續閱讀下去。

你決定買某本書，但只能買到電影特別版。你想買精裝版的書——那種華麗昂貴的經典名著，封面要有書名首字的花押字（monogram）[28]——送朋友當禮物，但書名首字縮寫和另一本書一樣，而你和你朋友都很討厭那本書，

28 又稱文織字母，是西方的一種裝飾圖案，指重疊、結合兩個或以上字素而形成的符號。花押字通常取個人或機構的首字母，拼製成易於辨認的代號或標識。

如果花押字是醜陋的土黃色也不行。你常去的書店舉行了買二送一的活動，雖然你很快就找到前兩本書，但第三本怎麼樣都沒辦法決定；你可能什麼都沒有買，從而感到後悔不已。

你警覺到自己對虛構的角色投注太多情感，並在談話中時常提到他們，就像是自己的好朋友一樣，而你真正的好朋友卻不知道他們是誰；即使你試圖解釋，也只是讓他們更加困惑。你知道自己太常提起喜歡的書，令人感到厭煩，不過你就是停不下來。

有人問你最喜歡哪三本書，但你最多只能把候選書單縮減到五本，或七本，或十七本。

你沒辦法把看完的書拋到腦後，因為你還想活在故事中一陣子。你有嚴重的「閱讀後遺症」，且症狀持續了三天。止痛藥並無法緩解你的難過，因為無論下一本書是什麼，似乎都不可能比剛剛看完的那本精彩；你覺得很低落，因為永遠不可能找到一樣好的書了。

你讀完了很精彩的系列書，認為必須對其完結好好哀悼，且得為死去的角色默哀。你忍不住想著：「為什麼這些事沒有一個專屬社群可以交流？」因為你真的很希望找到懂你的人。

你的家裡一團混亂，但你的書櫃整理得井然有序。而你的家之所以混亂，正是因為書本堆積在各個地方；思及追求乾淨的房子意味著把時間浪費在錯誤的地方，你索性把所有時間都拿來閱讀。

你去逛了一場二手書的跳樓大拍賣，卻想不起來哪些書你已經有了。有時你回到家後，才發現自己記錯了，後悔白白失去大好機會；或是你其實已經擁有，只能把剛買的第三本也放在櫃子上。也有時候，你會發現自己不小心在拍賣會上，買了兩本一樣的書。

你擁有的書籍比鞋子還多，超過書櫃的容量。你稍微算了一下，發現自

已在藏書上花了很可觀的金額，進而懷疑自己藏書的價值，已經等於某個小國家的國內生產總值。

你接受現實，決定開始減少自己的藏書量。你仔細整理每一本書，思考它是否帶給你喜悅——答案都是肯定的，每一本書都讓你快樂——**你的人生充滿閱讀的喜悅，無奈書櫃的空間少得可憐。**

11. 現在的我是過去諸多閱讀的總和

我對此很肯定：假如我不是個閱讀者，就不會成為今天的樣子。這不只意味著我喜歡閱讀，或是花了很多時間在書本上；我的意思是，從很小的時候開始，在我沒有意識到的情況下，**得自書中的想法建構了我內心的基礎**。

雖然我並沒有意識到，但在閱讀時，我的大腦同時忙碌的以書中概念為基礎，建立起框架。這樣的框架會持續建構，並隨著年歲增長不斷精煉，成就我內心的空間。而在人生的這個時刻，我大致上只是移動自己內心的家具，並在牆壁上掛新的藝術品而已。不過每隔一陣子，我還是會擴建一個新的房間，或是移動一根支柱，又或是更動一面承重的牆；只是我已經不再需要從零開

始，可以立基於舊有的結構。

我沒辦法說出每一位在我內心的屋子留下一磚一瓦的作家，他們的文字從許久以前就開始潛入，而我的意識雷達還來不及感測。但有些作家占據了很大一部分，其字句形成堅固的基石，讓我可以清楚辨識。

其中一位作家是瑪德琳·蘭歌。年幼時第一次遇到《時間的皺褶》（*A Wrinkle in Time*）[29]，我就深深的被擄獲；甫為人母時，我又再次感受到她的魔力。在朋友的強力推薦下，我開始閱讀她的回憶錄，因此發現她用「疲憊的三十幾」來形容三十歲到四十歲的十年光陰，期間她時常會頭靠著打字機就睡著了。這讓我對她產生了信任感——她真的知道女性的不同人生時期，且時常書寫成長和變老的過程。

蘭歌曾經這麼寫道：「**變老的其中一個好處，是你不會失去曾經活過的年歲。**」在《不理性的季節》（*The Irrational Season*）一書中，她說：「我並不僅僅是五十七歲，也是我曾經活過的每個其他歲數，一、二、三、四、五、六、七歲……一直到此時此刻，有時甚至能超越這樣的時序性。」

每個成年人都曾經歷過童年、青少年，以及二十多歲。但根據瑪德琳的觀點（而我願意相信她），不是每個人都能碰觸內心的幼童、青少年時期，或二十多歲的自己。

想必你也曾經在和別人相處時，心想：「這個人真的有當過小孩嗎？如果不想變成他這樣的人，應該也是合理的吧？」我想，我仍能觸及心中四歲的自己，知道自己對世界充滿好奇、對年幼的弟弟抱持著懷疑、天真善良，有時

29 故事敘述主角等人在學校及家庭生活上都遭遇了困難，不過當他們前去拜訪新搬來的鄰居後，卻邁入一場奇幻的旅程。此書曾改編為電影，於二〇一八年上映。

卻有點殘酷，而且總是輕易信任一切。

若我接近心中七歲的自己，那麼我會看到一個想像力豐富的小孩，把住家後面的河床想像成田鼠統治的奇幻王國。至於我內心那個十七歲的青少年，則是第一次墜入愛河，覺得自己已經長大，要為未來做出決定，同時卻還太過年輕……如今，我偶爾能窺視自己四十五歲、六十八歲、九十二歲，或是未來任何年歲的樣貌。

我想在瑪德琳的理論上，再多加一句——正如我是自己曾經活過的所有年歲，我也是自己曾經身為的所有閱讀者類型。

我花了好幾十年，才終於知道自己是什麼類型的閱讀者，而這裡的「類型」應該是複數：人生至今，我曾經屬於許多不同的類型，而我依然記得並懷念過去的樣子；有時，我覺得也可以想像自己未來會成為怎樣的閱讀者。我是所有閱讀回憶的總結，大腦中充滿了來自書本的奇想和洞察，我不確定這些倘若都被抽離，我會怎麼思考，或是變成怎樣的人。

我仍是那個坐在父親膝頭的三歲小女孩，懇求他再讀一遍《蘋果的故事》（*The Story of the Apple*）或《故事的最後有怪獸》（*There's a Monster at the End of This Book*）。我仍是那個八歲小孩，在學校的閱讀表上天真的填了超過一百本書，對於同學們平均只有三十本左右毫不知情，而此舉會招來太多的關切。（值得慶幸的是，閱讀的樂趣遠超過這些不便。）

我仍是那個謹慎的十歲孩子，坐在五年級的教室裡，聽著老師大聲朗讀《通往泰瑞比西亞的橋》。老師看著整間教室的三十三個孩子開始騷動，一半在啜泣，另一半則徒勞的想要隱藏淚水。

我仍是那個即將邁入青春期的孩子，用顧小孩所賺到的第一份薪水買了《小保姆俱樂部》（*The Baby-Sitters Club*）系列的最新作品。接著，又不可避免的轉向一九八〇年代的《甜蜜谷高中》（*Sweet Valley High*）系列。當時的

我認為，一本好書定價不會超過四美元，而且只要花一個下午就能讀完。

我仍是那個十三歲的中學生，咬牙撐過許多內容豐富、卻沒有啟發性的語言文學課堂。在國中二年級的春天，我們深入研讀了艱澀的《羅蘭之歌》（*La Chanson de Roland*）[30]，可以說是這段時期的最高潮。

我仍是那個準備寫第一份期末報告的認真高中生，覺得自己已經長大了，在星期六早上獨自來到市中心的大型圖書館找資料。我從書架上抽出人生第一本哈羅德·布魯姆（Harold Bloom）[31]的作品，並選擇戴眼鏡而不是隱形眼鏡，畢竟聰明的女大學生在週末時不都這麼做嗎？（這個想法大概也是從某本書裡看來的。）

我仍是十六歲的自己，一頭栽進《大亨小傳》，雖然一開始對書名存疑，但意外的發現自己並不討厭，也開始理解好的作家能寫出多麼有力量的文字，而書中的廣告看板和霓虹燈之間，又蘊含著多麼深刻的意義。

我仍是那個十九歲的大學新生，埋首讀完第一本安妮・狄勒德（Annie Dillard，美國作家）、尤多拉・韋爾蒂（Eudora Welty，獲獎無數的美國小說家）、伊莎貝・阿言德（Isabel Allende，智利作家），並在大衛・休謨（David Hume，蘇格蘭哲學家）、愛利克・艾瑞克森（Erik Erikson，德裔美籍心理發展學家）和弗里德里希・尼采（Friedrich Nietzsche，德國哲學家）（德文版！）之間掙扎。當時總得讀一些書當作休閒娛樂，但現在已經想不起

---

30 一首法蘭西十一世紀（創作的年分在一〇四〇年到一一一五年之間，因年代久遠作者已不可考）的史詩，改編自西元七七八年發生的隆塞斯瓦耶斯隘口戰役，是現存最古老的重要法語文學，在各種手稿中皆有提及。

31 美國文學評論家，其最知名的著作《西方正典》（*The Western Canon*），將西方文學劃分成四個階段：神學時代、貴族時代、民主時代、混亂時代，並選取二十六位被他認定的大師級作品，再對這些人的作品加以評析。

來什麼書算是娛樂了。（我想大概包括了許多平裝小說吧。）

我仍是二十多歲的自己，用力吸收許多性靈的回憶錄，彷彿我的一生都取決於此。我讀了瑪德琳、達拉斯、恩德曉（Underhill，英國作家，作品關注靈性修練和基督教神祕主義）、C·S·路易斯，也讀了凱瑟琳·諾里斯（Kathleen Norris，美國小說家和報紙專欄作家）、尤金·彼得森（Eugene Peterson，美國長老教會牧師、神學家、作家）和芭芭拉·布朗·泰勒（Barbara Brown Taylor，美國聖公會牧師、作家、神學家），彷彿他們是不可或缺的氧氣。

我仍是二十多歲的自己，不知如何篩選現代小說。這些最新出版的書籍擺滿書店的櫃子，還沒有機會通過時間的考驗。我總是不幸挑到一本又一本的乏味之作，就這樣累積了太多失望後，決定回顧歷久彌新的經典，例如珍·奧斯汀的作品、《簡·愛》、《安娜·卡列尼娜》（*Anna Karenina*）[32]。（我也因此學到了可貴的道理，對往後人生大有助益——假如想找一本好書，往老書找總不會錯。）

我仍是那個二十五、六歲的年輕媽媽，在沙發上大聲念著《青蛙與蟾蜍》（*Frog and Toad*）、《小熊》（*Little Bear*）和《五隻小猴子》（*Five Little Monkeys*）給大兒子聽。可惜他還太小，連頭也沒辦法好好抬起來，因此無法理解我說的內容，大概也不太在乎我念什麼。不過這些童書滿足了我念書給嬰兒聽的渴望，所以我一念再念；也因為如此再三重複，我仍深深記得《認識機器》（*Machines at Work*）和《嘰喀嘰喀碰碰》（*Chicka Chicka Boom*

---

32 俄羅斯作家列夫·托爾斯泰（Lev Nikolayevich Tolstoy）於一八七四年至一八七七年間創作的小說，被廣泛認為是寫實主義小說的經典代表，曾多次改編為同名電影，最近一次於二〇一二年上映。

Boom）的內容。至今，我還是會忍不住在午餐時間說：「現在，來吃午餐吧！」因為我在拜倫·巴頓（Byron Barton）的童書裡讀過太多遍這句話。我仍是這般因反覆閱讀而化為深刻記憶的閱讀者，即使在午餐時間也不例外。

我仍是三十歲的自己，發現了一遍又一遍閱讀經典小說的樂趣。我領悟，即使不是小孩子，一樣能享受兒童文學，於是重新讀了《清秀佳人》、《新月莊的艾蜜莉》和《偵探小天后》。我快樂的填補童年閱讀的缺口，努力的加速讀完《草原上的小木屋》（*Little House on the Prairie*）系列，然後是《貝西—黛西》（*Betsy-Tacy*）系列和《鞋子》（*Shoes*）系列。我還在十天之內一口氣看完《哈利波特》系列，因為就是這麼好看。

我仍是三十五歲的自己，難得一個人在家裡，雖然要在短短兩個小時內完成上千件事，卻因為太想要知道接下來會發生什麼事，選擇坐在不舒服的廚房裡讀完《這不是告別》（*Eleanor & Park*）。而知道結局以後，我彷彿就在一個下午的時間內，達成很了不起的成就。

那麼如今的我，又是什麼樣的閱讀者呢？我想是為了自己而閱讀，因為我愛閱讀，閱讀帶給我動力；有時也為了我愛的人而讀，或是和他們共讀。我會讀一些有著荒謬笑話的書，因為我年幼的小孩很喜歡；我也會讀一些充斥著青少年戲劇性的故事，因為我年紀大一點的孩子對此十分入迷。我會和年輕的時候一樣，閱讀陌生作者的書，進而深深的愛上，並在一個星期內瘋狂讀完那個作者的所有作品。

我會在一個星期中拜訪書店三次，每次都仔細瀏覽「小說新書」的架子，不管陳列的書籍是否和上次完全一樣，因為我每次都會注意到不同的細節，也因為書店到處都是可能性——我仍對於各種故事著迷不已，因而難以放棄任何吸引人的書名或情節發展。

我熱愛閱讀，更深知書本形塑我們的意涵，無論是現在的我們抑或過去

的。之於閱讀者，變老最棒的事，就是我們不會失去曾經的閱讀經歷——有時我們會深切懷念過去的樣子，有時則覺得過往有些不忍卒睹，但**一切都不曾消逝，仍是我們的一部分。**

本章書單：

- 瑪德琳・蘭歌《時間的皺褶》，愛麗兒圖書（Ariel Books），一九六二年出版。
- 瑪德琳・蘭歌《不理性的季節》，哈潑出版社，一九七七年出版。
- B・E・朱尼珀（B. E. Juniper）《蘋果的故事》，木材出版（Timber Press），二〇〇六年出版。
- 喬恩・史東（Jon Stone）《故事的最後有怪獸》，黃金圖書出版（Golden

Books），一九七一年出版。

- 安・M・馬丁（Ann M. Martin）《小保姆俱樂部》系列，學樂集團，一九八六～二〇〇〇年出版。
- 法蘭辛・帕斯卡（Francine Pascal）《甜蜜谷高中》系列，蘭登書屋，一九八三～二〇〇三年出版。
- 夏綠蒂・勃朗特《簡・愛》，史密斯與埃爾德出版公司（Smith, Elder & Co.），一八四七年出版。
- 列夫・托爾斯泰（Lev Tolstoy）《安娜・卡列尼娜》，Ruskii Vestnik 出版社，一八七七年出版。
- 阿諾德・羅貝爾（Arnold Lobel）《青蛙與蟾蜍》系列，哈潑出版社，

（接下頁）

一九七〇～一九七九年出版。

- 埃爾絲・米納里克（Else Minarik）、莫里斯・桑達克（Maurice Sendak）《小熊》，哈潑柯林斯，一九七八年出版。
- 艾琳・克里斯特洛（Eileen Christelow）《五隻小猴子》，克拉里恩圖書（Clarion Books），一九八九年出版。
- 拜倫・巴頓（Byron Barton）《認識機器》，Greenwillow出版社，一九八七年出版。
- 小比爾・馬丁（Bill Martin, Jr.）、約翰・艾爾根博特（John Archambault）《嘰喀嘰喀碰碰》，西蒙與舒斯特，一九八九年出版。
- 蘿拉・英格斯・懷德（Laura Ingalls Wilder）《草原上的小木屋》系列，哈潑兄弟，一九三二～一九四三、一九七一年出版。

- 莫德・拉芙蕾絲（Maud Lovelace）著、洛伊絲・連斯基（Lois Lenski）繪《貝西—黛西》系列，湯瑪斯・Y・克羅威爾公司，一九四〇～一九五五年出版。
- 諾埃爾・斯特雷特菲爾（Noel Streatfeild）《鞋子》，出版商J・M・登特（J. M. Dent），一九三六～一九七二年出版。
- 蘭波・羅威（Rainbow Rowell）《這不是告別》，獵戶星出版集團（Orion Publishing Group），二〇一二年出版。

12. 相較於時間，我更需要期限

在某個美好的春日，我正在圖書館的路上，抱著一大疊要歸還的書。我撞見一位好朋友，她也帶著同樣沉重的書堆，是剛剛借閱的。

我們因為彼此的重擔而會心一笑，同時雙手輪流承擔重量，試著舒緩逐漸增強的痠痛感。「我們這樣真荒謬，」好友說著：「但這真的是我們的錯嗎？在理想的世界裡，根本就沒有期限這件事。」

「沒有期限」！愛書人應該都不會反對吧？

我笑著贊同，然後我們各自踏上不同的路途，急著想卸下身上「甜蜜的負荷」。我的朋友把書放進車子裡，我則是把書放到還書櫃檯，然後搬起滿臂

彎的預約書，如此循環不斷。

當我離開圖書館，被新的一疊書壓垮時，也打量著自己這趟圖書館之旅的收穫；我感覺像個大豐收的獵人，在返家路上思考該如何善加利用這些獵物。我現在正在看哪本書？床頭櫃上放著哪些書？我應該在歸還期限前讀完哪些新書？又該什麼時候讀？正當我計算著這些問題，好友的話在我腦中迴響。

「沒有期限」——天啊，這會帶來多大的不同！假如圖書館沒有等著我還書，我會有不同的安排嗎？肯定會的。不過仔細思索這個問題後，我發現我不太確定自己喜不喜歡這樣。**假如我不需要在期限之前，讀完新的一堆書，那麼我還能讀得那麼快嗎？我真的還會讀嗎？**

我很懷疑。假如沒有期限，我似乎就不會讀得那麼多，或是那麼仔細。

就像許多熱愛閱讀的人，我的書櫃幾乎總是處在爆滿狀態，充滿了我想要讀的書。朗恩・利柏（Ron Lieber）在他精彩的著作《三隻小豬養出下一個巴菲特》（*The Opposite of Spoiled*）中，將「富有」定義為擁有一切你所需要的和大部分想要的事物，也就是必需品和許多其他事物。他的理論似乎無法解釋我們對書本永無止境的渴望，但在和書本相關的方面，我認為自己非常富有，已經到了不可思議的程度。

我的圖書館中充滿了財富寶藏，而這只是我所擁有的一小部分而已。我家附近書店的書櫃裡，總是放了上千本書，且店員幾乎能找到任何我想要的書。我的朋友很樂意從豐富的藏書中借我一些，我自己的書櫃也能讓我快樂充實的過上好幾個月，甚至好幾年；此時此刻，我家中的書櫃放了一百一十四本我想看但還沒看的書，這還不包括屋子裡四散的書，還有辦公室的書架上、床頭櫃上，以及孩子房間裡藏著的書。

儘管我的閱讀選擇幾乎沒什麼限制，可惜時間並不是如此！我自認閱讀速度很快，若有閱讀光譜的話，大概會落在光譜的最前段區域。然而，即使我

能一天讀一本書，一年也只能讀完三百六十五本。談論閱讀習慣時，這數量聽起來似乎很厲害，但其實遠遠比不上一個星期出版的新書數量。就算我健康的活到八十歲，人生大概也讀不完三萬本書——雖然三萬不是個小數字了，但和近代出版的數量相比，也不過九牛一毛。而在那之前出版的呢？

有時候，「選擇下一本要讀的書」感覺就像一段複雜的舞蹈。有這麼多書可供選擇，我到底該怎麼決定要讀什麼？現在先讀什麼？接下來呢？有太多因素要考量，但我可以告訴你：我同意傳奇爵士樂手艾林頓公爵（Duke Ellington）的名言：「我不需要時間，我需要的只是最後期限而已。」

事實上，我要向我那位好友道歉，因為和她不同，**期限並不是我閱讀生活中的阻礙**。（雖然我的逾期罰鍰可能是另一回事，但先別在意。）面對無限多的選擇時，期限能幫我釐清自己當下想讀什麼，讓我集中注意力在下一步的規畫。就像個依循截稿期限生活的記者，閱讀的期限能確保我盡快把書讀完。

我時常告訴自己，將來某天一定要讀某本書。但立意良善的意圖不太有強制力，使得那個「將來某天」通常永遠不會到來。**好的期限會驅使我捫心自問，自己是否準備好現在就看；假如還沒準備好，那麼這本書真的該在我的閱讀清單上嗎？**

在期限這一方面，圖書館的到期日其實沒有特別嚇人，卻足以讓我好好安排規畫一大疊待讀的書，尤其是當中有我等待了好幾個月的書時。

圖書館會無償把預約的書給我，可是我也不是全然沒有付出代價——一旦預約書籍到達，無論何時到的，我都得在三個星期內看完。假如我為了一本熱門書等上好幾個月，那麼當我一拿到，就必須立刻開始閱讀，否則又將失去機會。如此這般，等待越久的書，在我的清單上等級就越「緊急」，會插隊排在比較沒有時間限制的書前面。

有時候，某些社會規範會讓我準時按照規畫閱讀。讀書會就是個很好的

例子：有多少人整個月都沒有讀書，直到聚會前二十四小時，才拚命看完兩百多頁？和朋友的咖啡約會也足以讓我很快的讀完某本書。當行事曆上記下和朋友的咖啡約會後，我就會希望出席時，能至少讀完朋友上次見面時大力推薦的書，因為我知道對方一定會問我相關的問題。有時候，朋友們迫不及待的向我借閱新出版的書，也會讓我覺得「盡快把那本書看完」是個愉快的義務，這出自於我相信我們能分享彼此對書本的愛，因此我會很快速的閱讀。

即使在度假時，好的期限也能激發我讀更多書；若帶上的實體書中，我無法看完一半以上，我就會覺得自己很失敗。（我丈夫也會無情嘲笑我。）

最近，我的孩子也會激勵我讀得更多、更快。當他們在讀某本書且馬上想討論時……好吧，我也希望能和孩子們討論書，所以我必須閱讀，而且是「立刻就讀」。我女兒很清楚我對文學的喜好，她經常會在讀完一本書後說：「媽，妳一定要看這一本。」並把書塞進我手中。接下來，她每天都會問我讀了沒，因為她很愛這本書，也認為我一定會喜歡。

假如我沒有閱讀孩子們希望我看的書，他們就會覺得受傷，所以我會在期限之前讀完。艾林頓公爵一定很了解這種感覺：「沒有最後期限的話，親愛的，我一定什麼也不會做。」公爵啊，沒有最後期限的話，我不至於什麼都不做，只是也不會看這麼多書……不過我確實熱愛閱讀。

本章書單：

- 朗恩．利柏（Ron Lieber）《三隻小豬養出下一個巴菲特》，哈潑柯林斯，二〇一五年出版。

13. 深刻的「片尾彩蛋」——致謝

身為閱讀者，我在過世之際，註定還會有上千本書來不及讀完，所以我並不會特別閱讀書本中額外的字句，也就是那些正文以外的內容。

我通常會用懷疑的眼光，看待新版經典名著中的名家引言，甚至認為作者新加入的「作者的話」，未必有存在的價值。至於引言，或許只是用來填補空白處，我可以直接跳到第一章；嚴格來說，引言並不是本文的一部分，所以我不需要讀，對吧？很多年來，我也將作者致謝當作多餘的直接跳過，對於能更快的進入下一本書開心不已。

我希望還記得自己，是從何時開始花時間閱讀書末的作者補充。到底是

哪一本書讓我繼續翻頁，而不是跳到下一本書？那位作者到底說了什麼？他們感謝了誰？謝詞又為什麼吸引我？我希望能記得自己為什麼讀得很愉快——我想必感受到了某種魅力。在閱讀某本書的二十週年紀念版時，我通常還是會跳過名家的評論，卻會看完謝詞。而且我會在讀其他部分之前，先看這一部分，假如寫得很棒，我很可能會再看第二遍，如此一讀再讀，不僅讀給自己聽，也可能大聲朗誦給周遭的人聽。

當然，這是在「寫得好」的情況下。好的謝詞充滿感情和娛樂效果，機智且充滿智慧，雖簡短卻不會太短，甜蜜又不至於濫情；好的謝詞可能會很有趣、很奇特，或是讓人驚喜，也可能很私人、很正面，且能透過感謝的對象、方式和理由，了解作者的人格特質。在最棒的謝詞中，作者的感激情溢於詞。

我或許不想浪費寶貴的時間閱讀多餘的文字，但總能騰出時間，多讀一些「片尾彩蛋」，特別是作者親手寫的。在有了新的了悟後，我很後悔以前跳過了致謝；**許多時候，作者的致謝讓我對故事有更深刻的喜愛和了解。**

在軍事懸疑小說《更深沉的黑暗》（*A Deeper Darkness*）中，作者J．T．艾利森（J. T. Ellison）描述了帶給她創作靈感的那場友軍誤擊意外。在《偉大規畫》（*A Great Reckoning*）中，露易絲．佩妮（Louise Penny）寫了她丈夫的失智症、確診之後接受到的諸多善意，以及她的無比感激，感謝那些讓她能走進客廳打開筆記型電腦，並接受朋友陪伴的人們，這些都是她書中的角色。在《海餅乾》（*Seabiscuit*）[33]中，蘿拉．西蘭布蘭德（**Laura Hillenbrand**）說寫作的過程是「一場四年的課程，告訴我歷史是如何隱藏在

---

33 作品描述一匹賽馬的故事，「海餅乾」即為那匹馬的名字。此作曾改編電影《奔騰年代》，於二〇〇三年上映。

意想不到的地方」。她告訴讀者，在用盡所有預期中的資源（報紙、雜誌、賽馬歷史）後，她轉向非典型的來源，甚至刊登「徵求資訊」的廣告，並打電話給上百個陌生人，想得到這個主題各種不為人知的故事。

在致謝的部分，**我會發現是誰想出了書名、作品中心思想，或是讓某個章節得以保留**。在《隆冬之際》（*In the Midst of Winter*）中，伊莎貝‧阿言德說她曾經不知道要寫什麼，所以和一些朋友腦力激盪，而這本書的框架就此誕生。（她同時也透露，自己總是在一月八日開始寫新的故事。）在《如果我們的世界消失了》（*Station Eleven*）中，艾蜜莉‧孟德爾（Emily St. John Mandel）坦言，書中以馬來西亞為背景的篇章，靈感來自《每日郵報》（*Daily Mail*）的一篇文章。在《一見鍾情》（*Love and First Sight*）中，喬許‧桑奎斯（Josh Sundquist）感謝他的經紀人讓書中的兩個角色談起戀愛，填補了故事中缺少的愛情元素。

有時候，致謝的部分則**透露了某本書差點沒問世，或是順利出版的一連串機緣巧合**。在《但願如此》（*The Things We Wish Were True*）中，瑪莉巴斯．霍蘭（Marybeth Whalen）感謝她的經紀人，「在星期二的晚上打電話來，叫我不要放棄，而他們也還沒有放棄」。在《羅馬四季》（*Four Seasons in Rome*）中，安東尼．杜爾（Anthony Doerr）感謝出版社的專業人士，「讓我相信我的筆記有成為一本書的潛力」。在《裴少校的最後一戰》（*Major Pettigrew's Last Stand*）中，海倫．西蒙森（Helen Simonson）的謝詞以她文學生涯的原創故事開頭：「很久很久以前，布魯克林住著一位全職媽媽，她非常想念自己的廣告工作，後來在機緣巧合下來到紐約九十二街的寫作課程，想為自己的創意找到出口。」

從致謝中，**我們會得知一些經過作者查證的重要細節**：住在某個地方、某個時代，或從事某種職業是什麼樣子，又或是某個理論更精確的細節為何。

在《帝國殞落》（*Empire Falls*）中，里查德・羅素（Richard Russo）感謝他的女兒凱特（Kate）「鉅細靡遺的提醒了我，高中可能留下多麼大的陰影，而我們何其幸運能安然脫身」。在《神之墮落》（*A God in Ruins*）中，凱特・艾金森（Kate Atkinson）感謝約克郡航空博物館的館長，「完整的回答了我（或許很煩人）的問題」。在《人生複本》（*Dark Matter*）中，布雷克・克勞奇（Blake Crouch）感謝了物理和天文學的教授，「讓我在討論量子力學的大框架時，看起來不像個徹底的傻瓜」。

在致謝中，**我們會一再看到誰影響了這個故事**，更了解一本書的誕生，除了作者之外，還需要一整群人的努力。（茱莉・柏斯本〔Julie Buxbaum〕在《下一句說什麼》〔*What to Say Next*〕的謝詞以這個玩笑作為開頭：「如果你不喜歡我的小說，以下是你可以怪罪的人。」）

在《樹，記得自己的童年》（*Lab Girl*）中，荷普・潔倫（Hope Jahren）

感謝她的經紀人教會她「一些故事和一本書的不同」。在《搶救》（*Salvage the Bones*）中，潔思敏・瓦德（Jesmyn Ward）感謝她的經紀人「從第一個字開始就相信著她」。在《讓愛走進來》（*Love Walked In*）中，瑪麗莎・桑托斯（Marisa de los Santos）感謝她的經紀人懷抱著「無比的理性和耐心」。在《致所有逝去的聲音》（*The Hate U Give*）中，安琪・湯馬斯（Angie Thomas）感謝她的經紀人（或者該更精確的稱呼「超級英雄經紀人」），說他是她最強大的啦啦隊，也時常扮演她的心理醫師。

在《帝國殞落》的致謝裡（或許是我最喜歡的一篇謝詞），里查德・羅素感謝他的編輯，說：「我本想試著以文字表達我的感激，但如此一來他就得替我編輯，他已經做太多事了。」在《藏書票》（*Ex Libris*）中，安妮・法第曼感謝她的編輯：「如此專業嚴謹的編輯我的作品，我有時都想把自己寫的文字拋棄，改成出版他的札記。」

在《一百萬種小方法》（*A Million Little Ways*）中，艾蜜莉・P・費里曼（Emily P. Freeman）特別感謝她的編輯「沒有接受這本書的初稿」。在《為什麼我們這樣生活，那樣工作？》（*The Power of Habit*）中，查爾斯・杜希格（Charles Duhigg）感謝他的編輯，說：「我聽許多朋友說，他總是如此輕柔優雅的提升了他們的文章，並帶領著他們，讓他們幾乎忘了他的潤飾。我總以為他們誇大了，畢竟他們大多數時候都在喝酒。但親愛的讀者們——他們說的都是真的。」

在謝詞中，作者們亦盛讚了大部分只待在幕後的工作小組。在《妻子、侍女和情婦》（*The Wife, the Maid, and the Mistress*）中，艾利兒・羅紅感謝她的審稿人員有著「極大的耐心和國稅局般的嚴謹」。在《小小的勝利》（*Small Victories*）中，安・拉莫特（Anne Lamott）感謝她合作多時的審稿者，說道：「你拯救了我無數次，讓我看起來不像個澈底的文盲。」在《最後的民謠》（*The Last Ballad*）中，威利・凱許（Wiley Cash）感謝他的出版商「總是能找到方法」。在《金牌》（*Gold*）中，克里斯・克里夫（Chris Cleave）感謝他的美編和設計，說道：「假如你因為外觀而拿起這本書，這都要感謝他們。」

身為讀者，我總是好奇寫作生涯是什麼樣子，但是在不知道細節的情況下，我只能自行想像：作家住在舒適的公寓閣樓裡，使用著復古的打字機，佐以一杯又一杯的茶。

不過在致謝裡頭，作者們會提到寫作的實際細節，那是平常讀者想像不到的；他們可能會隨口提到已經過了截稿日期三年，或是假如沒有超市的冷凍食品，根本就不可能趕上截止期限，又或是當地電腦專賣店的員工在最需要的時候，拯救了消失的原稿，也可能是他們孩子的科技能力幫了大忙。

在致謝的部分，作者們坦承若不是暑假時間，或是學期間的規律生活，

他們就沒辦法把書寫完。作家蘿拉・凡德卡姆（Laura Vanderkam）是四個小孩的媽，她在《我知道她怎麼辦到的》（*I Know How She Does It*）中開玩笑：「總有一天，我不會再要求編輯把截稿日期訂在預產期附近。」在《夢想之地燃燒》（*Dreamland Burning*）中，珍妮佛・拉薩姆（Jennifer Latham）感謝她的孩子「忍受截稿日前的珍妮佛，以及總是說『我現在不行，我在工作』的母親」。菲特烈・貝克曼（Fredrik Backman）在《大熊魂》（*Beartown*）的末段對他的孩子們說：「感謝你們在我寫作時耐心等待，現在我們可以一起玩《當個創世神》（*Minecraft*）了。」

在致謝的部分，除了給予啟發或建議的人，作者們也會感謝那些讓他們可以繼續寫下去的人。他們感謝健身房的朋友，讓他們在面對截稿日時仍能保持理智；或是感謝一些歌手的歌，在寫作的過程中陪伴他們。在《創作者的日常生活》（*Daily Rituals*）中，梅森・柯瑞（Mason Currey）感謝他的朋友

「幫助我在正職上撐下去，並且好意的持續關心我的寫作進度」。在《上流法則》（*Rules of Civility*）中，亞莫爾・托歐斯（Amor Towles）感謝「從運河街到聯合廣場上所有提供咖啡的店家」（以及巴布・狄倫〔Bob Dylan，美國創作歌手〕，因為他「創造了數百年份的靈感」）。

在《到邊緣的短途》（*Short Trip to the Edge*）中，史考特・卡恩斯（Scott Cairns）感謝傑克遜・布朗（Jackson Browne，美國搖滾歌手）：「他在一九七〇年代的歌曲讓我想成為詩人。」（這是書中的一小句獻詞，而非謝詞。雖然這本書沒有感謝詞，但關於布朗的部分實在太棒，我認為不該錯過。）在《自由落下》（*Falling Free*）中，夏南・馬丁（Shannan Martin）感謝她家附近的電爐咖啡店，提供了「熱伯爵茶、白噪音、社群和空間」。在《對我說謊》（*Lie to Me*）中，J・T・艾利森（J. T. Ellison）感謝離她家不遠的連鎖餐廳，讓她能一邊觀察人群，一邊寫作和享受飲料。

作家們會感謝他們的小學老師、大學教授或同儕，也會感謝童年時最喜歡的書店、幫他們找到研究資料和讀本的圖書館員，或是親手將他們的作品賣給客戶的書商。在《最後的民謠》中，威利・凱許感謝「圖書館員和書商，讓這個國家的創作者、知識分子和公民社會能順利運行」。在《幾乎是姐妹》中，賈瑟琳・傑克森感謝了「正直的書商，特別是親手把我的書交給正確的讀者，並說『你一定會愛上這本書』的那些人」。

在致謝中，**作者們會一次又一次的感謝讀者閱讀他們的作品，讓他們得以靠寫作為生。**

在《蜂蜜罐上的聖瑪利》（*The Secret Life of Bees*）中，蘇・夢・奇德（Sue Monk Kidd）感謝她的父母，說他們一點也不像她故事中的高壓父母。在《動機，單純的力量》（*Drive*）中，丹尼爾・品克（Daniel Pink）告訴讀者：他感謝自己的妻子「大聲朗讀了我寫的每一個字，我則坐在紅色的椅子上邊聽邊發抖」。（不過我最喜歡的部分是他感謝其妻子，「除了這些小小的理由，還有許多重大的原因，但這和你們無關」。）在《靜水深流》（*Peace Like a River*）中，里夫·恩格爾（Leif Enger）感謝他的母親「在我們學會說話之前，就讀羅伯特·路易斯·史蒂文森（Robert Louis Stevenson，英國文學新浪漫主義的代表之一）給我們聽。至於書信，除了使徒保羅（Apostle Paul）[34]之外，再也沒有人比她寫得更動人」。在《為什麼我們這樣生活，那樣工作？》中，查爾斯·杜希格感謝他的父母，「從我年幼時就鼓勵我寫作，

---

34 天主教譯「保祿」。他是早期教會極具影響力的傳教士、基督徒的第一代領導者之一，在整個羅馬帝國的早期基督教社群之中，傳播耶穌基督的福音，另因首先向非猶太人轉播基督的福音，所以被奉為外邦人的使徒。新約聖經諸書約有一半是由他所寫，其中有他寫給各地教會或來信詢問教義者的回信，書信中除了解答基督教教義的問題，亦闡明教理原則，是基督教的重要文件。

即使我當時忙著放火燒東西，讓他們擔心未來的書信，可能都得寫在監獄的信紙上。」

我特別享受發現特別內容的時候，尤其是作者沒辦法放在其他地方的內容。在《朗讀手冊》（*The Read-Aloud Handbook*）的致謝中，吉姆・崔利斯（Jim Trelease）感謝他的鄰居「在十年前的一次家族聚會中，因為對我的點子太有熱情，不小心傳到一位新手版權經紀人耳中」。在《世界的一部分》（*A Piece of the World*）中，克莉絲汀娜・貝克・克蘭（Christina Baker Kline）透露了兩本對她影響深遠的傳記，她稱之為她的「試金石」，而兩本傳記都被翻得斑駁破舊，她不得不買好幾本來當作備份。

在《下一句說什麼》中，茱莉・柏斯本宣稱世界上最棒的獨立書店，是「給好書的一片好地方」（A Great Place for Good Books）。在《但願如此》中，瑪莉巴斯・霍蘭答應她的朋友，會用對方的名字為下一本書的角色取名。

在《如果我們都錯了》（*But What If We're Wrong?*）的某個章節，查克·克羅斯特曼（Chuck Klosterman）講了個在阿克倫（Akron，位於美國俄亥俄州東北部）的窗外觀察刺蝟的故事；但在致謝中，他解釋自己的記憶不可能是真的，因為他發現刺蝟不是北美洲的原生種。（「我猜這不是常識，因為我說這個故事已經二十年了，卻從來沒有任何人告訴我：『嘿，傻瓜，難道你不知道俄亥俄州沒有刺蝟嗎？』」）

也有些致謝內容令人難以明白，像我始終無法理解塔娜·法蘭琪（Tana French）在《入侵者》（*The Trespasser*）中的謝詞：「大衛·萊恩（David Ryan），上面放上煙燻火腿、培根條、牛角肉、蘑菇和黑橄欖，放在披薩的石板上烘烤十分鐘，再搭配德國的皮爾森啤酒。」

各位讀者，一本書的內容或許很長，但致謝總是很簡短。

即使如此，你用來閱讀謝詞的時間，絕對會帶來難以想像的回報。你何

不從書店、圖書館，或是你自己的書櫃中，抽出幾本書並翻到致謝的部分，看看你都錯過了什麼？

本章書單：

- J・T・艾利森《更深沉的黑暗》，米拉圖書（MIRA Books），二〇一二年出版。
- 露易絲・佩妮《偉大規畫》，米諾陶圖書（Minotaur Books），二〇一六年出版。
- 蘿拉・西蘭布蘭德《海餅乾》，蘭登書屋，一九九九年出版。
- 伊莎貝・阿言德《隆冬之際》，西蒙與舒斯特，二〇一七年出版。
- 艾蜜莉・孟德爾《如果我們的世界消失了》，Vintage 圖書出版，二〇一四年出版。

- 喬許・桑奎斯《一見鍾情》，利特爾布朗出版社，二〇一七年出版。
- 瑪莉巴斯・霍蘭《但願如此》，聯合湖出版社（Lake Union），二〇一六年出版。
- 安東尼・杜爾《羅馬四季》，西蒙與舒斯特，二〇〇七年出版。
- 海倫・西蒙森《裴少校的最後一戰》，蘭登書屋，二〇一〇年出版。
- 里查德・羅素《帝國殞落》，克諾夫出版社（Knopf），二〇〇一年出版。
- 凱特・艾金森《神之墮落》，利特爾布朗出版社，二〇一五年出版。
- 布雷克・克勞奇《人生複本》，皇冠出版社（Crown），二〇一六年出版。
- 茱莉・柏斯本《下一句說什麼》，蘭登書屋，二〇一七年出版。

（接下頁）

- 荷普・潔倫《樹，記得自己的童年》，克諾夫出版社，二〇一六年出版。
- 潔思敏・瓦德《搶救》，布魯姆斯伯里出版社，二〇一一年出版。
- 瑪麗莎・桑托斯《讓愛走進來》，Plume 出版社，二〇〇六年出版。
- 安琪・湯馬斯《致所有逝去的聲音》，Balzer + Bray 出版社，二〇一七年出版。
- 安妮・法第曼《藏書票》中，FSG 出版社，一九九八年出版。
- 艾蜜莉・P・費里曼《一百萬種小方法》，雷維爾出版（Revell），二〇一三年出版。
- 查爾斯・杜希格《為什麼我們這樣生活，那樣工作？》，蘭登書屋，二〇一二年出版。
- 艾利兒・羅紅《妻子、侍女和情婦》，Anchor 圖書，二〇一四年出版。

- 安・拉莫特《小小的勝利》，河源出版社（Riverhead Books），二〇一四年出版。
- 威利・凱許《最後的民謠》，威廉・莫羅出版社（William Morrow），二〇一七年出版。
- 克里斯・克里夫《金牌》，西蒙與舒斯特，二〇一二年出版。
- 蘿拉・凡德卡姆《我知道她怎麼辦到的》，Portfolio 出版社，二〇一五年出版。
- 珍妮佛・拉薩姆《夢想之地燃燒》，利特爾布朗出版社，二〇一七年出版。
- 菲特烈・貝克曼《大熊魂》，Atria 圖書，二〇一七年出版。
- 梅森・柯瑞《創作者的日常生活》，克諾夫出版社，二〇一三年出版。

（接下頁）

- 亞莫爾．托歐斯《上流法則》，企鵝出版集團，二〇一一年出版。
- 史考特．卡恩斯《到邊緣的短途》，哈潑柯林斯，二〇〇七年出版。
- 夏南．馬丁《自由落下》，托馬斯．尼爾森出版社（Thomas Nelson），二〇一六年出版。
- J．T．艾利森《對我說謊》，米拉圖書，二〇一七年出版。
- 賈瑟琳．傑克森《幾乎是姐妹》，威廉．莫羅出版社，二〇一七年出版。
- 蘇．夢．奇德《蜂蜜罐上的聖瑪利》，企鵝出版集團，二〇〇一年出版。
- 丹尼爾．品克《動機，單純的力量》，河源出版社，二〇〇九年出版。
- 里夫．恩格爾《靜水深流》，格勞夫／大西洋獨立出版社（Grove/Atlantic），二〇〇一年出版。
- 吉姆．崔利斯《朗讀手冊》，企鵝出版集團，一九八二年出版。

•克莉絲汀娜・貝克・克蘭《世界的一部分》，威廉・莫羅出版社，二〇一七年出版。
•查克・克羅斯特曼《如果我們都錯了》，企鵝出版集團，二〇一六年出版。
•塔娜・法蘭琪《入侵者》，維京出版社，二〇一六年出版。

14. 閱讀的成長，成長的閱讀

雖然已經是老生常談，但年幼時的閱讀經驗，的確決定了你會成為怎樣的閱讀者。我們惆悵的回顧以前的樣貌，回憶著在父母親膝頭上看的書、躲在棉被下透過手電筒燈光看的書，或是一群朋友湊在一起看的書。還有些學校的讀物，從幼稚園到高中，甚至到大學和研究所，都有其他閱讀者的引領，希望讓我們理解書中的寓意。

然而，事情接著發生了：**從學校畢業了，課程都修完了，我們得開始為自己的閱讀生活負起責任**。沒有人會再管我們要讀什麼，這些決定權都回到我們手中。如今，我們能成為自己理想中的閱讀者，自行選擇用哪些書來填滿我

們的生命。

邁入成年時，我們往往還不是完全成形的成年人，也不是已經定型了的閱讀者；畢業時，我知道自己還有許多的成長空間，但沒有人告訴我，我作為閱讀者的部分也必須有所成長。

每個閱讀者都經歷過這段：從最初別人幫我們挑選好書，轉為自行選擇，其中有些人在擁有這般選擇權時，選擇不再看書。但我親愛的讀者，你們還是得**從「聽從別人的指示」，邁向「自己做出選擇」**，畢竟閱讀的原因不再只是為了功課、為了討好別人，而是為了自己的休閒娛樂，以此讓自己快樂——建立自己的閱讀生活是項艱鉅的任務，而你已經成功了，或是正在努力的路上。

一如其他方面的成長，閱讀的成長也不會發生在一夕之間，這個轉變的過程十分緩慢，需要多一點時間。我們透過閱讀來建立閱讀生活，有時跌跌撞撞，必須經過許多的嘗試與失敗，才了解到該為自己讀什麼書，又該如何讀。如此一來，我們不只確立了閱讀者的身分，也得決定自己想成為哪種類型的閱讀者。

幸運的是，年輕的我雖然已經是個閱讀者，卻還不知道這些。二十歲出頭時，我忙著建立起全新的成年生活：從大學畢業後開始新的工作，然後結婚，搬進第一棟房子。這些已經給了我夠多壓力，我很慶幸自己當時並不知道，我在幾年內便會確定將來閱讀生活的方向。

我並不覺得自己像個成年人，因為我尚處於成長階段，但我當時無法清楚的將這點表達出來。然而，正因為我還在成長，所以我為自己選擇的書，將在這段旅程中陪伴我，並且影響著我最終成長的模樣——書本的力量就是如此之大。

那麼，該選擇什麼呢？或許每個和閱讀相關的故事都一樣，皆和地點有

著密不可分的關係。在我們的閱讀生活中，地點至關緊要，無論是譬喻或實際層面都是如此。由於心理上正處於發生變化的狀態，加上實際身處的地點非常容易取得好書，所以我經常閱讀。

當我思考自己作為閱讀者的成長，為了自己的閱讀生活負起責任時，腦海中總是浮現出這段年輕的歲月。我的成形大約發生在二十歲初期到中期，這段時間對我的人格和閱讀方式，都留下了不可抹滅的痕跡；這段年輕歲月為我打下了基礎，我至今仍以此為據的向上發展建造。

當你不確定自己的餘生想看什麼書時，不妨從圖書館開始……一如我時常造訪圖書館，大量攝取不同領域的樣品。我可以清楚的回想自己漫步在車道旁林蔭的圖書館小徑，天氣好時走比較長的路，雨天或大熱天時則走捷徑，不變的是，我總是抱著滿懷的書本。（這實在太奢侈了，我有時會對自己大量使用圖書館資源感到不好意思，但館員們從不會抱怨；相反的，他們會恭喜我看完一疊又一疊的書。）

在我的交友圈中，會傳閱許多書，讓我幾乎每次聚會時都會帶上幾本（借出一本，或帶一本新書回家）。此外，我丈夫和我各自將自己的藏書帶入婚姻，無論是童年的愛書，或是以前買了卻一直沒看的書。對我來說，要多方嘗試就是這麼容易，全拜我身邊圍繞著無數好書所賜。

科學家說，和其他感官比起來，氣味更能激發我們的懷舊之情，因為它能直接汲取我們的情緒記憶。比方說，聞到一陣焦糖蘋果的氣味時，我們彷彿又回到五歲，安心的待在母親溫暖的廚房裡；木蘭花的味道讓我們想起夏日午後，我們待在祖母的客廳裡，祖母將花朵放在咖啡桌上的水晶碗中；影印機油墨的味道，帶我們回到十六歲時，站在第一份工作地點的影印機旁；伯爵茶的香氣讓我想起十八歲時，我正俯身看著一本書，而來自英國的室友則又泡了一壺茶，準備挑燈夜戰。

愛書人對於書的氣味總是有著強烈的情感，有些人會因為新書的油墨味而興起詩意，有些則喜愛老舊精裝書，或是二手書店的氣息。我本身並不特別喜歡二手書店的氣味，但身為愛書人，我也注意到書本可說是通往自身過去的大門，在我腦中激起同樣強烈的記憶。在翻閱很久以前看過的書時，我彷彿立刻回到第一次閱讀的時刻；書本會像這樣觸發回憶，讓我想起自己為什麼會選擇它、它帶給我什麼樣的感覺，以及我當時正經歷著什麼人生大小事——在閱讀的時候，我似乎能被完全傳送回過去。

時至今日，仍有許多二十歲初期讀的書，能立刻將我帶回成長的當下。

例子一：二十二歲時讀達芙妮·杜穆里埃（Daphne du Maurier）的《蝴蝶夢》（*Rebecca*）。很大一本黑色精裝版，包著皺皺的聚酯纖維書套，共有四百五十六頁；書籍來源：圖書館。

某次晚餐時間，我聽朋友提起這本書，說故事實在太精彩，她只花兩天就看完了。當圖書館通知我去取預約書，我一大早就在門口等著圖書館開門（到早上十點才開！）。回家後，我躺在床上，只花了一天就看完四百多頁。我從不知道一本書能如此吸引人，而這本書居然還是一九三八年寫的！

例子二：二十二歲時讀賽門・溫契斯特（Simon Winchester）的《瘋子、教授、大字典》（*The Professor and the Madman*）[35]。有聲書，共有六片CD，裝在方形的塑膠盒裡；書籍來源：圖書館。

威爾和我正站在廚房裡，用瓦藍色的油漆蓋過原本的薄荷綠……這項工作枯燥乏味，我們需要一點娛樂。我曾經在雜誌上看過這本書的介紹，雖然圖

35 故事描述一位教授接下《牛津英文大字典》的編纂工作，進而打造出一部最完整字典的過程。翻拍電影《牛津解密》於二〇一九年上映。

書館裡只有有聲書的版本，不過威爾正好想要一點新的刺激。我們非常享受這個「真相比小說更離奇」的故事，甚至願意為了多聽一點而繼續油漆。我從不知道和其他閱讀者一起享受一本書的樂趣，也不知道原來在教室和學校之外，也可以這麼做。

例子三：二十二歲時讀大衛・科西（David Keirsey）的《請了解我2》（*Please Understand Me II*）。藍色的平裝書，很舊了，共有三百五十頁；書籍來源：圖書館。

我們都曾在婚前諮商中接受人格測驗，我覺得很有意思，所以想要多知道一些。我花了幾個寒冷的冬夜，坐在黃色的沙發上把書讀完，手上拿著一杯茶。這本書改變了我對於自己和婚姻的看法，並在我心中種下一個種子，將在十七年後發展成我的第一本書[36]。

例子四：二十四歲時讀夏綠蒂・勃朗特的《簡・愛》。粉紅色的企鵝出版集團平裝書，共有四百三十四頁，只是從來沒有翻開過。這是我青春期胸懷大志時，在附近的獨立書店買下的；雖然買了好幾年，卻從未翻開過，因為我當時仍以為「經典」就等於「無聊」。

但某個星期日下午，由於圖書館休館，我沒辦法決定下一本要看什麼。因此，我審視著客廳書櫃上的藏書，注意到這本粉紅色平裝書，**覺得是時候把這本書從我高中以來的閱讀清單刪掉**。我開始認真的閱讀，並且坐在陽光灑落的窗邊，**想著：為什麼從來沒人告訴我這本書這麼棒？**

例子五：二十四歲時讀薇琪・艾歐文（Vicki Iovine）的《女友的懷孕守

---

36 作者的第一本書是《讀人》（*Reading People*），現在正在讀的這本《讀癮者的告解》，則是她的第二本書。

則》（*The Girlfriends' Guide to Pregnancy*）。紅色與白色封面的平裝書，共有兩百八十八頁，目前還很新，但很快就會翻得破破爛爛。

看了《懷孕知識百科》（*What to Expect When You're Expecting*）後，我發現自己的每個重大里程碑，都晚了整整一個月，繼而驚慌得整夜無眠，然後在絕望之下走進附近書店買了《女友的懷孕守則》；我需要找《懷孕知識百科》的替代品，正好艾歐文的書出現在我眼前。它陪伴我度過整個孕期（總共四次），不斷向我保證我的經歷是正常的，還不需要驚慌失措。但一再依賴這本書，也讓我養成了熱愛閱讀者都有的習慣：向書本（而且是實體書）尋求我需要的知識。我仔細研讀了關於清掃、煮飯、親職、懷孕等方面的書籍，還有許多我不會的實用技能，而且家中充滿實用的工具書，包含食譜、打掃、園藝、手工、親職，以及任何我需要的資訊。

例子六：二十四歲時讀狄更斯的《塊肉餘生錄》（*David Copperfield*）。

黑色的企鵝出版集團平裝書，共有七百一十八頁，外觀破舊，聞起來是老書的味道，此外其油墨很黑，字距很小，會在手指上留下墨水的痕跡；書籍來源：圖書館。

還是學生時，老書對我而言一點吸引力也沒有，但我已經體驗到不需要為了成績或本分而閱讀的自由，可以隨心所欲，閱讀自己定義的好書。至於我對老書改觀，是從《簡・愛》開始，自此，我越來越熟悉圖書館的平裝經典名著，而這些書擺了一整面牆（這面書牆也告訴我，我高中時有多少該讀但沒讀的書）——這些翻起來很舒服的平裝書，通常都能帶來充實的閱讀經驗，而且從不需要排隊等待。小時候，我常會躲在棉被下，藉著手電筒來閱讀；如今，情勢改變了，我常在哄睡自己的嬰孩之後，不敢離開房間，以免吵醒孩子。但我對此並不介意，因為我有手電筒和狄更斯的《塊肉餘生錄》，而對於這本書的喜愛程度，連我自己都嚇了一跳。

例子七：二十五歲時讀克莉絲汀娜．史瓦茲（Christina Schwarz）的《溺水的魯斯》（*Drowning Ruth*）。感覺不太對的塑膠外皮精裝版，共有三百五十二頁；書籍來源：圖書館……我先自首，這是歐普拉讀書會的選書。當時，我已經很喜歡經典名著，也喜歡從非文學類的書本中獲取知識，我卻還是不斷挑選到讓人失望的現代小說。

這本書對我來說意義重大，但不是因為我很愛它（**我根本不喜歡**），而是因為它反映了我對現代小說的汲汲營營。晚上睡覺前，我在臥室裡很快的讀完這本書，期間背靠著床頭，再配上一杯茶。我想，這本書的某些元素**幫助我形成了自己的判斷力**、**確立了價值觀**，**同時釐清我的品味**；我找到了自己的世界，並且感到越來越自在，而這些都因這本書而起。

二十五歲左右，我轉型了，就此確立自己的閱讀者身分，並在成為閱讀者後，也為自己的閱讀生活創造出空間。如今，我已經不是二十五歲時那個閱讀者（也不是當時的自己了），這都歸因於發生太多改變，畢竟人生就是如此。但我的基礎是那時架構的，我更在初邁入成年的那幾年，選擇為自己的閱讀生活負起責任。

本章書單：

- 達芙妮・杜穆里埃《蝴蝶夢》，維克多・格蘭茨爵士（Victor Gollancz），一九三八年出版。
- 賽門・溫契斯特（Simon Winchester）《瘋子、教授、大字典》，哈潑柯林斯，一九九八年出版。

（接下頁）

- 大衛·科西《請了解我2》，普羅米修斯·涅梅西絲出版公司（Prometheus Nemesis Book Company），一九九八年出版。
- 薇琪·艾歐文《女友的懷孕守則》，口袋圖書（Pocket Books），二〇〇七年二版。
- 海蒂·莫克夫（Heidi Murkoff）、雪倫·馬捷爾（Sharon Mazel）《懷孕知識百科》，二〇一六年四版。
- 狄更斯《塊肉餘生錄》，布拉德與埃文斯（Bradbury & Evans），一八五〇年出版。
- 克莉絲汀娜·史瓦茲《溺水的魯斯》，道布爾戴出版社，二〇〇〇年出版。

15. 逛書店——不是網路上的

我最早期的職涯追求中，並沒有包含閱讀生活。當大人們開始問起無可避免的問題：「妳長大以後想做什麼？」我就像所有有尊嚴的三年級小孩那樣回答：總統、太空人、消防員、鄉村音樂歌手。

這樣的時間並未持續太久。

高中時期，我夢想的職業包含了白天在獨立書店上班，親手把書交給客人，晚上則住在充滿書本的無電梯工作室。我並沒有花太多時間想像要怎麼度過一個工作天，畢竟我才十五歲，又懂些什麼？但我心裡有幾個重要的時刻：靠在櫃檯上，向客戶介紹我喜歡的書；站在高大的書櫃旁，向讀者指出最適合

他的書，或是推薦給他的孫女、妻子或朋友；爬上圖書館的梯子，從最高的架子上為讀者抽出他要的那本乏人問津的書；在沒有人的時候，坐在櫃檯後，旁邊放上一杯冒煙的茶，埋首於一本書中。而且不是隨便拿一本書，必須是華麗的、紅褐色封面的文學名著精裝版，才符合我白日夢的色調。

從很小的時候開始，我總是夢想能在書店工作、開一間書店，或至少在書店裡花夠多的錢，讓店裡的常客都歡迎我的到來，並稱名道姓的和我打招呼。在我的想像裡，我的書店是個友善又讓人無法抗拒的地方，是文字的殿堂、社區的活動中心，熱愛閱讀的人們會聚集在這裡，討論著文學和日常問題，並且總能找到他們想要的書。更棒的是，廁所會自動清潔。

我對想像中的書店懷抱著滿腔熱血，一直希望有朝一日能在這樣的地方任職。沒想到，有位真正經營書店的朋友給了我一份暫時（真的非常暫時）的工作，讓我在她的書店上班一天。我很擔心在真正的書店工作以後，我想像的粉紅泡泡會就此完全破滅，不過劇透一下——並沒有。但這的確改變了我想像中的書店，也改變了我對所有書店的看法。

我愛書店，因為我愛書。在書店裡，書本就是明星，這一點反映在許多書店的店名上，例如亞歷山卓的「為書歡呼！」（Hooray for Books!）、布魯克林的「書本的魔法」（Books Are Magic），和曼哈頓的「神奇之書」（Books of Wonder）。毫無疑問，書本充滿神奇的力量。但扮演書店員工的那天，我領悟到「書店本身」的魅力總被低估，更驚奇的發覺，原來**要讓閱讀者走進一間書店，幕後需要多少的努力、規畫、統整、後勤、運氣和魔法。**

我欣賞好的書店，卻大大低估了要讓美好成真，需要付出多少。

首先，書本是最根本的：當然，每一間書店的選書都不同，每一天的亦然。每一本書的誕生都必須花上好幾年，投注了作者的愛，以及經紀人、編輯、審稿人員、美術設計、封面設計、攝影師、出版商、經銷商等人的幫助。

這些書包含了我們所能想到的任何主題，有些可能上個星期二才出版，有些則是兩百年、兩千年前就已經問世。每一天都有新書抵達書店，也都會有閱讀者來買書回家。

但書本是怎麼抵達書店的呢？

後勤並不是我熱衷的領域，所以這部分我就有點迷茫。每年會有個幾次，地方的書店會思考接下來六到九個月裡，他們希望書架上擺放哪些書。有些書店會親自挑選每一本（上千、甚至上萬本），在掃描了一整片新書之海後，找出吸引他們的書名，並仔細策劃他們的藏書，希望能反映出店員和讀者們的偏好與個性。他們會向出版社或經銷商訂購，有時也和作者本人下訂；貨品就這樣來自全國各地的不同城鎮，透過不同的運輸方式，冒著高溫或刮風下雨，甚至是不同的天然災害，最終送到他們手中。

這還只是書本的部分而已！我喜歡的書店裡不只有精裝書和平裝書，還有真實和虛擬世界的地圖、帶著書店商標或書架的馬克杯、閱讀者都愛的筆、借書證造型的襪子和手提包、上面是伊莉莎白・班奈特（Elizabeth Bennet，《傲慢與偏見》的女主角）人像的小鈕扣等等。書店經營者得先挑選，然後訂購每件商品——當然皆來自不同地點——這些貨品（每一項都得個別訂購）會從不同的城市出發，運過大半個國家，有時甚至是大半個世界，最終來到同一個屋簷下。

商品到貨以後，還得找到對的閱讀者。有時候閱讀者會很清楚自己要找什麼：下一本想讀的書、讀書會選書、送給孫子的禮物，或是喜歡的作品系列的最新一集；有時候則是知道自己在找什麼，但尋找的過程需要一些幫助。

在擔任店員的那天，我發現其中一項重大任務就是要解開讀者提出的謎團，例如：「我是在廣播上聽到的，但我沒聽到書名⋯⋯那個作者曾經和蘋果創辦人賈伯斯（Steve Jobs）約會過。」、「我忘了書名，只知道是上個星期

出的，作者是女生。」、「我忘了書名，但裡面好像有個『人』字……我想封面應該是藍色的。」（假如我的經驗與現實相符，那麼書店員工一天下來，大部分時間都在試圖找出被遺忘的書名。）

有時候閱讀者並不知道自己下一本想看什麼，於是到書店尋找答案。書店員工有種獨特的直覺，能知道每個人在讀什麼書，基於工作每天都會看到這些人、這些書，他們自然有能力給予閱讀者答覆。

「我剛看完《莫斯科紳士》（*A Gentleman in Moscow*），你能推薦我類似的書嗎？」

「我喜歡《廚房屋》，但我需要轉換一下步調。」

「我參加的讀書會喜歡《米德爾馬契》（*Middlemarch*）[37]但討厭《咆哮山莊》，我們下一本應該讀什麼？」

在本質上，書店之間都會有許多共同處。我知道自己喜歡哪些特色，所以每拜訪一間書店，都會特別注意：顯眼的文學與非文學新書上架區、分量相當的「員工推薦」選書、趣味賀卡展示架，以及五顏六色的童書區，高度要剛好符合四歲孩子的視線。

正因為有這些相同的特色，其中不同的地方更令人驚訝了，而這都取決於書店的老闆、經營方式、所在城市和文化；可能會有一整區留給當地的作家、特色活動和觀光景點，或設有豐富的文具展示、當地的陶藝精品、巧克力或咖啡產品。由書本、禮品和雜貨交織而成的一股電流，讓你覺得這間店不可能在其他地方，一定得在聖路易、聖塔克魯茲，或是斯德哥爾摩（任何你覺得

---

37 英國女作家喬治・艾略特（George Eliot）的第七部長篇小說，「米德爾馬契」實為作者虛構的英國省城。

該出現的地方）。這些鮮明的特色訴說著我們所在的地點，並且在在顯示：你就在這。

我擔任書店員工的那一天，確實有個浪漫的幻想破滅了：在書店工作不只是坐在櫃檯後方，忘形於故事中而已。員工必須關注上百個小任務，才能把對的書交到讀者手中——我發現**對店員來說，把書交到合適的顧客手中，正是這項工作最棒的地方。**

本章書單：

- 亞莫爾．托歐斯《莫斯科紳士》，維京出版社，二〇一六年出版。
- 凱瑟琳．葛里森《廚房屋》，Atria圖書，二〇一〇年出版。
- 喬治．艾略特《米德爾馬契》，威廉．布萊克伍德之子（William Blackwood

and Sons），一八七二年出版。

- 艾蜜莉·勃朗特《咆哮山莊》，紐比出版社（Thomas Cautley Newby），一八七四年出版。

16. 找到失散多年的閱讀雙胞胎

我花了三十五年，才找到自己閱讀上的「雙胞胎」。我們之間的相似處任誰都無法否認：我們長得很像，風格和感性的部分也很相似。乍看之下，我們就像同一個人，幾乎可以互換身分；然而，認識我們的人都能分辨出來，且不只是針對我們的相似處，更注意到許多微妙的不同。

我和我的「閱讀雙胞胎」沒有血緣或其他形式的關係。我們的姓氏不同，住的地方不同，甚至連感恩節大餐也沒有一起吃過。我們的相像展現在閱讀生活上：她是個很棒的閱讀者，品味和我有著驚人的相似之處。找到她以後，我的閱讀生活越來越好，因為她總能讓我讀到更多自己喜歡的書，同時更

少踩雷。

當我發現任何一個星期二所出版的書，都遠超過我一年能讀完的量時，忽然非常沮喪——這還只是星期二而已。在茫茫的書海裡，我該怎麼找到自己會喜歡的書呢？怎麼找到那些就像是為了我而寫的書？

我不會說自己沒有再失落過，但兩位閱讀者能涉獵的範圍總比孤軍奮戰時大。我的雙胞胎會發現我錯過的書，熱情的推薦那些她看完後認為我會喜歡的書目；若她犧牲自己、閱讀乍看之下很有意思的書，發現內容毫無特色後，形同幫我省下了看的時間。我也會和她做一樣的事，並告訴她哪些書值得優先看，哪些可以放心跳過，因為我已經先讀過了，而她有限的閱讀時間更該花在別的地方。

縱使我們看起來很像，但並非一模一樣。我們學會不只為自己挑選書，也為對方挑選：她不介意內容黑暗一點的，而我偏好具個人風格的散文；她對於魔法奇幻類的比較有耐心，我則是對多愁善感類的容忍度較高。我們知道彼此的品味，也讀了比平常多的好書，這全歸因於我們發現了尋找好書的捷徑。

閱讀上的雙胞胎會帶來許多喜悅，我強烈推薦你也找一個。然而，身為閱讀者，面對的是累積了好幾個世紀的必讀經典名著，而這分量每個星期都在增加。所以，有雙胞胎很棒，我卻也很感謝我更廣泛的「文學家人」。假如我們要分頭擊破這些作品，就需要彼此合作。

我持續尋找和我想法相近的閱讀者，其品味在集合文氏圖中得和我有所交集，若沒有這些人告訴我他們喜歡的書和原因，我一定會迷失於書海中，根本毫無線索；幸好有他們，讓我知道自己可能會喜歡哪本書。這本書值得我花時間嗎？對於這個問題，我仰賴閱讀的夥伴來引導我，畢竟我知道他們的品味，也了解我們之間的異同之處。

有一次，我在草地曲棍球的邊線上，聽到一位家長向另外一位推薦自己

剛看完的書：「這是我今年看過最棒的書！你喜歡看書嗎？你一定要看看。我知道你會喜歡的！」

她的熱情吸引了附近家長們的注意，他們問：「什麼書啊？」於是她分享了書名，催促他們立刻找來看，並掛保證說：「你們全都會喜歡的。每個人都應該要看！」

我偷偷轉頭看了一眼。我並不認識這位興奮的閱讀者，但我看到其他家長都拿起手機和記事本，準備記下書名，甚至有位女士立刻宣布她已經上網買了。我張開嘴，又再次閉上。我告訴自己：「她不是對我說的。」然後深呼吸，再來一次——喔，天啊！遇到這種時刻，身為閱讀者到底該怎麼做？

我之所以如此苦惱，是因為我厭惡那本書。

對於那本書，我還記憶猶新，畢竟上個星期才剛看完。星期六早上翻開後，我很快就明白這大概不是我喜歡的書，但我還是繼續讀下去……我得稍稍為這本書平反：敘事很引人入勝。我很好奇接下來會發生什麼事，所以即使故事讓我感到尷尬，即使我覺得自己會後悔浪費這些時間，我還是不斷翻頁，隔天就把它看完了。翻過最後一頁時，我唯一的想法是：我真的浪費了四個小時在這東西上？

我坐在邊線上，快速檢視自己的選擇：我應該為了大家好，把真相說出來嗎？我對其他的閱讀者有什麼義務嗎？我反應過度了嗎？

思及最後一題的答案是「或許吧」，於是我閉上嘴巴。再怎麼說，我也不知道他們的品味，搞不好這本書雖然不適合我，卻深受他們喜歡。這段對話給我一個感覺——我非常依賴閱讀的同好來找尋好書。我把自己寶貴且有限的時間，花在最期待的書上，而我的興奮感時常源自於其他閱讀者的熱情推薦。

對於書本的熱情雖具有感染力，可惜還是不夠，無法讓我找到真正適合自己的書，就連套用在別人身上也是如此。要說「我愛這本書」或「我不喜

歡」很容易，我卻常常說不出具體的理由……我很訝異的發現，要好好說出對一本書的想法很困難，無論是分享五千字的正式書評或二十字的簡訊都一樣，很難表達得連貫、有用且精彩好讀。然而，我覺得自己有義務為我的閱讀同伴們試試看，因為我的意見能幫助他們決定哪些書值得一讀、下一本該看什麼。

我很害怕闔上一本書時，卻想著：我真的這麼虛度了四個小時的生命？我很確定這樣的事還會再發生，這就是閱讀生活的風險。但近幾年來，有兩個關鍵幫助我避開這樣的低落感。

首先，是我選書的方式：我努力成為謹慎的讀者，深思熟慮的投入閱讀的內容；更學會了不只在閱讀時，選書的過程也同樣仔細。

第二，則是我閱讀上的雙胞胎：她知道我的品味，繼而把好書丟到我面前，並讓我避開陷阱。我想，即使沒有這位雙胞胎，我還是能擁有充滿活力的閱讀生活——但我很慶幸自己能擁有她。

17. 每一次重讀，都是初次閱讀

自從我的雙親在我兩歲時搬進現居，我和哥哥在成長過程中就沒有再搬過家。這個家中二樓轉角的浴室（屬於我的那一間）門板上，有一道老舊的油漆痕跡。我的父母親很認真整理家裡，但這扇門在搬進來不久之後就沒有再上過漆了。

那是因為我和哥哥一學會站立，母親就經常讓我們站在門邊量身高，再用鉛筆記錄我們當時的高度，看看我們長高了多少。成長的過程中，我們也會比較新舊記號，想知道自己的變化。

就像許多閱讀者，我在好讀網（Goodreads）上也有個虛擬書櫃，放著將

來有一天想看的好書。我已經好幾年沒有加上新書了。雖然疏於關注，但這個書櫃上一共放了八百一十九本書，都是我將來很希望能讀的。無論是在好讀網或其他地方，我肯定都不是唯一有大量待讀書籍的人，而且我懷疑以某些讀者的標準來說，我的數目根本算不上「大量」。這份清單在我離世之前肯定消化不完，反而還會逐漸增加；然而，我還是熱愛重讀好書。

很多熱愛閱讀和文學的人，同一本書從不會看第二次。他們會說，由於自己的閱讀清單太長，沒道理要把時間花在已經看過的書上。我能理解他們的觀點，但我不打算改變自己重複閱讀的習慣；我發現**好的書不但禁得起重複閱讀，而且每次閱讀都會變得更好**。

上千年前，希臘哲學家赫拉克利特（Heraclitus）寫道：「沒有人能踏入同一條河流第二次，因為那已經不是同一條河流，而他也不是同一個人。」如今，我父母家的成長紀錄已經不再更新，我也早已過了一年長高七、八公分的年紀。但我還在不斷成長和改變，這種成長不是門上的記號可以衡量的，不過能從我看過的書來判斷。好書值得一讀再讀，不只是因為它們會為了我不斷改變，也因為我自己也正改變著。

當我發現自己深陷閱讀的泥淖時，沒有什麼比重回舊時愛書更能讓我振奮的。老書就像是老朋友，對我們的靈魂很有助益，不過它們可不只是帶來安撫而已——重讀好書是件令人興奮的事，因為即使我曾經造訪書中世界，其中的景色仍然不斷改變。每次閱讀時，我都會有新的發現，正如伊塔羅・卡爾維諾（Italo Calvino）[38]寫的：「**經典所述說的真理永不完結。**」好書總是不斷

---

38 生於古巴哈瓦那的義大利作家，藉著奇特和充滿想像的寓言作品，成為二十世紀重要的義大利小說家之一，著有《最後來的是烏鴉》（*ULTIMO VIENE IL CORVO*）、《收藏沙子的人》（*Collezione di sabbia*）、《困難的愛故事集》（*Gli amori difficili*）等書。

帶給我新的驚喜。

有時候，這樣的感覺其實和我個人的觀點有關，也與我翻開書時所知道的相關。初讀一本書時，我會讓自己沉浸在故事中，並不會想抓出每個情節破綻；假如真的是本好書，我就算有意去抓，大概也抓不到什麼漏洞。這時，我會想知道發生了什麼事，包括：書中的角色是誰？他們想要什麼？他們有何重要性？

第一次看時，我會找到所有問題的答案；第二次看時，則有全然不同的閱讀體驗。第一次看《清秀佳人》時，你會對安妮把寫字石板砸碎在吉伯特（Gilbert）頭上感到震驚；第二次看時，你已經知道接下來會發生什麼事。第一次讀《勸導》時，劇情的急轉直下會讓你顫抖；再看一次（在已經知道結局的情況下），你會有不同的想法，也更理解每個角色內心的想法、動機和面對的方式。

近日第四（或第五）次重讀《進入安全區》（*Crossing to Safety*）時，我對這種感覺有了深刻的體驗。華勒斯．史達格納的作品彷彿每讀一次，就會變得更好（雖然我讀了四、五次，才真正了解書名的意義）。這本書以幾個彼此陌生的角色，逐漸接近他們的臨終之地為開頭。

初次閱讀時我很困惑，因為我既不認識這些人，也不知道他們為何聚集、為何來到此處，又懷抱著什麼想法和感受。第二次閱讀時，我已經知道錯綜複雜的劇情了，而突然湧上的淚水讓我不知所措。我並沒有預料到這個不同，但實情是：這一次，我認識這些人，並立刻感受到他們的悲傷。其中的差異，大概就像遠遠的旁觀陌生人的喪禮，和親身參與親近者的告別式吧。

在我重讀時，這本書變得不一樣了；這不只是因為我已經知道故事內容，也因為我自己也不一樣了。從上次閱讀以後，我的情況跟著改變。《進入安全區》中，史達格納描述了兩對平凡夫妻的故事，以及他們交錯纏繞的命

運。他用四個人的關係，探討了對我來說很重要的主題：愛和友情、工作與婚姻、痛苦和失去。故事中，賴瑞（Larry）是個作家，被自己的成功沖昏了頭；莎麗（Sally）毫無預警的染上不治之症，但她勇敢面對；西德（Sid）深愛著妻子，讓妻子對自己指手畫腳；切洛蒂（Charity）的陰影籠罩著整個故事，她是主宰一切的角色，操縱著其他人的生命。這些角色都像我的朋友——或許有些人對此難以苟同，但熱愛閱讀的人會了解我的意思。

重讀一本書可以讓人想起自己過去的模樣，就像門板上的記號，訴說著我們改變了多少。第一次閱讀《進入安全區》時，我比較年輕；待我最近重讀，我已經又成長了不少，也有更多人生經驗能參照。而且，我更了解愛和友情、痛苦和失落。當我們重新回到一本讀過的書，會體驗到生命如何點醒我們，讓我們了解以前無感的段落；書本會讓我們注意到，自己現在和過去的差異。我想，這就是閱讀者時常重讀童年愛書的原因吧！書本帶我們回到過去，提醒我們已有多少時間流逝而過。**「重讀」幫助我們看見我們如何改變**——或許正因為如此，我更應該重讀青少年時期看過的每一本書——**無論變好或變壞，閱讀的經驗一定大不相同。**

不過，閱讀經驗的確有可能變壞。有些讀者會說，他們之所以不肯重讀，是害怕以前的愛書讓他們失望，害怕愛書不如記憶中那麼棒，如果書籍本身不符合他們美好的回憶，他們就會難過心碎……最好不要冒這個險。

當然，我也有過這樣的經驗。有時候，書本不如我記憶中那麼精彩；又或者，我不如自己記憶中那麼享受了，這不是因為我以前的判斷力不足，而是因為我改變了。這發生在《汀克溪的朝聖者》（*Pilgrim at Tinker Creek*）上。

第一次閱讀這本好書時，讓我震撼不已，覺得這本書是革命性的作品；第二次，我覺得雖然值得一讀，卻無法滿足我的期待了。這並不意外，畢竟第一次時，我只是個大學新生，從來沒有讀過這樣的書。初次翻開這本書，我的

美好體驗來自發現新世界的刺激；再次閱讀之際，刺激少了，因為我已經知道了整個故事。事情就是這麼簡單，但看到自己錯失的事物，還是讓人心痛，而這種錯失，看起來就像什麼改變了一樣。

赫拉克利特亦曾寫道：「一個人的性格即命運。」對於閱讀者來說也是如此。我已經下定決心，要敞開心胸來面對舊書帶來的新體驗，見證我自己改變了多少，書本又有什麼變化。

當我們重回一本好書時，它總是會告訴我們新的事物。畢竟它不再是同一本書，而我們也不是同樣的閱讀者了。

本章書單：

- 華勒斯．史達格納《進入安全區》，蘭登書屋，一九八七年出版。

・安妮・迪拉德（Annie Dillard）《汀克溪的朝聖者》，哈潑雜誌出版社（Harper's Magazine Press），一九七四年出版。

18. 愛書人的愛書方式都很有理

我的父母就像許多夫妻一樣，對於自己擁有的東西抱持不同的看法。我的母親會定期「解放」自己的財產（意思其實就是慈善基金會物資捐獻窗口的人會時常看到她，並稱名道姓的招呼她）。我的父親相較之下更像是收藏家，這樣的差別在他們各自的藏書上就顯而易見——我母親的收藏只能放滿一層廚房的櫃子，我父親則需要用上一整個房間來收納。

我父親書房裡的藏書量和書本擺放的密度，總是讓我覺得很神奇。不只開放式的小架子上有書，牆邊也高高的堆了幾疊書，還有個很大的衣櫃（又寬又深，像《納尼亞傳奇》裡的那種），裡頭共放了上百本書，而且分成三層，

書堆後面有書堆，最後面還有一堆。在慵懶的下午，我會悠哉的翹腳坐在衣櫃前的地板上，想看看裡面到底有什麼。我的方法是從第一層拉出一大堆書，露出第二層，再依序把一疊疊的書圍繞在我身邊，直到看見衣櫃底部。當時，我覺得自己就像在尋找失落的寶藏；如今回想起來，我的想法似乎也不算錯。

我母親曾逮到我在衣櫃前彎著身，往最深處翻來翻去，想找本好書來看。我當時還太小，無法分辨父母親藏書的不同之處，不過那是我第一次想問母親，她的書都放在哪。她停頓了一下，（我覺得相當謹慎的）說：「妳父親從小到大都是去書店，而我是去圖書館。我們的習慣到現在都沒有變過。」

我可以很開心的宣告——感謝我先天和後天的條件，以及我父母親截然不同的習慣，我從小到大既會去圖書館，也會去書店，且至今仍是如此。我的母親帶我去圖書館，給我許多探索的空間，讓我自在的瀏覽每個書櫃，並用我的借書證借閱任何我想看的書。我父親帶我去書店時也差不多這樣，只是我得花錢買下想要帶回家的書。熱愛閱讀的父親傾向於自己瀏覽架上的書籍，也鼓勵我這麼做。在還不了解習慣的重要性之前，我就已經養成了深刻的習慣，成了會主動尋找書本的人。雖然圖書館也符合我的需求，但小時候的我若有選擇，往往會選擇前往書店。

我童年時逛的書店很大，大概所有一九九〇年代的書店都這麼大；內部並不特別擁擠或舒適，不像現在很多獨立書店那樣。我不太會用「親密」或「迷人」來形容這間書店……應該說，它很「廣闊」，位置和占地大概都像現在的體育用品店或大賣場一樣，只是店裡的氣氛並不特別有吸引力（我還記得天花板很高，牆壁是淡綠色，還有昏黃的日光燈），但種種的不足之處，都被它的藏書所彌補。書店裡擠滿了書本和愛書的人，人們來此瀏覽高聳而充實的書架，然後坐在巨大舒服的椅子上，不受打擾的閱讀好幾個小時。

我父親會在安靜的晚上，或是繁忙的週末，或是期間的任何時刻，帶我

去書店；他也時常將我和哥哥一起塞上車，三人一起前往書店。（現在回想起來，大概都是在想給母親一點喘息空間的時候。）我們會在安靜的星期六下午瀏覽著書架，因為沒什麼別的事好做；我們會在忙碌的日子裡，利用跑腿辦事的空檔在那待一會兒。附近的餐廳隊伍排得很長？沒問題，我們可以在書店打發時間。我們也會為了買特定的書而去，可能是某套愛書的全新集數、學校的指定閱讀書目、朋友或老師推薦的書，抑或我們從雜誌或廣播上得知的書。

在這間書店裡，我們可以找到自己想要的書。那是還沒有網路的時代，我們所預期的就是閱讀者想找一本書時，一定可以在書店的架子上發現。有時候，我們想找點東西來讀，卻還不確定要找什麼的話，也會到書店尋寶。

我每次買的書都不多，但是我時常買書，有時是計畫中的，有時則是隨興所至。我挑選便宜的平裝書、生日禮物、填字遊戲本、大學考試參考書。我經歷過熱愛神探南西·德魯（Nancy Drew）[39]，接著是小熊維尼（Winnie the

Pooh）的時期（當時我是青少年了！）。某個夏天，我瘋狂愛上圖畫書，花了許多個炎熱的夏日午後，翻遍童書區一半以上的書，且完全不看文字，只想找到美麗的圖畫來裝飾我的臥室牆壁。我也曾帶著量子物理、解夢和新聞相關的書籍回家。我可任意使用的收入中，有一大部分都用來支應我蒐集文具的新嗜好——書店裡豐富的文具商品，讓我試圖存下所有當保母的收入，購買浮華的信紙和小卡片。

十四歲時，我在店員推薦的書架上，選了一本《潮浪王子》（*The Prince of Tides*）。當天晚上我翻開它，只讀了四十頁就闔上，內心充滿陰影；一個

39 出版商兼兒童文學作家愛德華．史崔特梅爾（Edward Stratemeyer），於懸疑小說《哈迪男孩》（*The Hardy Boys*）系列中虛構出來的女偵探，常作為主角的對手。

星期後，我把書拿回書店，決定即使不能退錢也要還回去（後來有退錢）。**十五歲時，我買了粉紅色的《簡·愛》，然而我當時並不知道，自己要再過十年才會翻開它。**十九歲時，我決定給新銳作者一個機會，買下第一本精裝版的《哈利波特》，並且送給我表姐一套有聲書版，讓她回大學的遙遠路程中有個陪伴。

隨著年歲增長，拜訪書店似乎是再合理不過的事，即使開車的已經不再是我父親。我會和朋友一起去，或是約會時去，又或是獨自在書店愉快的待上一小時。我曾幻想在書店工作，並景仰我朋友在書店工作的母親，但當我向朋友坦承這件事時，她勸我別這麼做，還說她母親的工作「雖然看起來很美好，不過薪水和麥當勞差不多」。然而我並沒有因此退縮。

另外，我聽說書店的求職者都得通過異常艱困的考試，以證明自己擁有關於書本和閱讀的豐富知識，故對書店的員工佩服至極——身為愛書者的他們把櫃子擺滿了書，再推薦好書給我，最後向我收錢——我想他們一定通過了這樣的考試。

從大學回家幾個月後的夏天，我投履歷到轉角一間拉丁美洲文學書店，並面對了傳說中的考試。當時的我覺得很困難，因為我並不知道自己無論對於人抑或書本，相關知識是如此有限。（以十九歲的年紀而言，我可謂太自大狂妄了。）

六個星期以後，我早已放棄暑假的書店夢，接下一份顧小孩的保母工作。待書店的經理打電話給我，說要給我工作，我只能遺憾的告訴她：「我快要回學校了。」但我很感謝她的回覆。雖然那間書店不曾僱用我，卻給了我吹噓上好幾年的機會。甚至到現在，我還是會吹噓，連我的孩子一聽到我開頭，都會說：「又來了？」

我的孩子知道我對書店和圖書館的感情，幾乎每個星期，我們都會一起

去圖書館或書店。旅行時，我們會在目的地尋找好書和新書店，也會特別繞路去參觀書店，甚至專門規畫旅行去拜訪特定書店。這是我們會做的事，我們就是這樣的人。

就像所有的父母親，我對自己的孩子也有期望和夢想。我希望他們都能好好的生活，找到愛與工作的成就感，不需要經歷太多的心碎。

我也非常希望將來有一天，當他們年紀夠大，能獨立為自己做出選擇時，他們也會發現自己是愛書的人。有朝一日，他們會趁著朋友相聚、約會，或是獨自度過美好的寧靜週末午後，前去造訪書店。這不是因為習慣或別人的要求，而是因為閱讀已然成為他們的一部分——就在他們的血液中，他們是愛書的人。

本章書單：

- C．S．路易斯《納尼亞傳奇》系列，一～五集：傑佛瑞．布雷斯出版社（Geoffrey Bles）；六～七集：鮑利海出版社（The Bodley Head），一九五〇～一九五六年出版。
- 派特．康洛伊（Pat Conroy）《潮浪王子》，霍頓．米夫林．哈考特出版社（Houghton Mifflin Harcourt），一九八六年出版。

19. 年、月、日……為閱讀留點紀錄

有時候，我會幻想取得自己所有的圖書館借閱紀錄。當然，我現在就可以立刻登入電腦，查看我當前借閱的書、預約申請，以及逾期的罰鍰，但這不是我想說的——我的書蟲美夢是可以像查找歷史文件那樣，查閱我這個人的圖書館紀錄。

我的書櫃展示了我買的書和別人給我的書，只要看一眼就能掌握自己讀了什麼。但圖書館的書卻是來了又走了，只留下回憶和（幸運的話）筆記本裡的隻字片語。我希望能有一份清單記下短暫的邂逅，記下我一生所借閱的書，像是從上個星期的一大疊，到我七歲時用第一張借書證所借的書。我不需要太

多細節，只要書名和日期就好。噢，我多麼希望能看到這些。

這些紀錄能將我記憶中所失去的保留下來。我還記得小學時借過比較特別的書，但是大部分都隨著時間忘卻。真希望能看到我在二年級、六年級或高一選擇的完整書單；還記得我高中時頻繁拜訪圖書館，想必借閱紀錄能觸發許多回憶。我常在星期六探訪市中心比較大的分館，搜尋關於費茲傑羅、霍桑和杜斯妥也夫斯基（Dostoyevsky）[40]的學術評論，這些都是我第一份期末報告的研究對象。然而，當我休閒消遣時，又讀了哪些書呢？我不太記得了，但我相信借閱紀錄會讓一切再次湧上心頭。

那人生的里程呢？我想，我的借閱紀錄會反映出我早年瘋狂的職涯探索，遲遲沒有成行的倫敦、巴黎和布拉格異國之旅，以及那年搬進一間房子，我努力讓屋前荒廢的花園重生的回憶。

單憑借閱的書名，我就能清楚看出自己是在哪些年分和月分遠離家鄉，這個我如今快樂居住著的家鄉。我能看到自己訂婚的夏天，因為我借了圖書館系統中，所有和婚禮規畫相關的書；發現自己懷孕的那個月，我就立刻清空架子上所有這類型的書。一年後，我突然借了很多硬頁書，因為家裡多了一位「迷你閱讀者」。這一切的一切，都寫在我的借閱紀錄裡。

幾年前，我家從圖書館隔壁的房子，搬到距離圖書館整整一．六公里的地方。（老天啊！）搬家以後，我花了好一陣子才習慣新的步調和新的路線，亦花費了更長的時間，才習慣新的圖書館之路。如果查看我的借閱紀錄，就會立刻發現改變：本來只有涓涓細流的逾期罰鍰，一夕之間竟有雪崩的事態；本

---

40 俄國作家，重要著作有《罪與罰》（*Crime and Punishment*）、《白痴》（*The Idiot*）、《卡拉馬助夫兄弟們》（*The Brothers Karamazov*），其文學風格對二十世紀的世界文壇產生了深遠的影響。

來穩定頻繁的借書和還書，則成了每個星期的大量進出。

至於我逐漸增加的閱讀喜好和日常興趣呢？我希望自己還記得是哪一本圖書館的書，點燃了我對於都市計畫、時間管理或農莊經營的熱情。借閱紀錄會顯示我在哪一年發現凱特．莫頓（Kate Morton，澳大利亞暢銷小說作家）、溫德爾．貝瑞或華勒斯．史達格納，並證明我接著大量閱讀這些作者的書。我或許可以知道自己借了幾次《哈利波特》或《清秀佳人》系列，或是在第幾次借《建築模式語言》（*A Pattern Language*）後，終於決定自己也該購入一本。

我的攝影師朋友說，好的相簿會保存兩種歷史，分別是時序上的歷史和情緒上的歷史；這些會提醒我們發生了什麼事，以及這些事對我們的意義。我用上一輩子來閱讀，並且熱愛圖書館，因此渴望著專屬於自己的相簿類型：不是由照片所組成的，而是書名和借閱日期。**我的借閱清單或許不像個人相片那**

麼精美，但說到喚醒回憶——它能立刻帶我回到過去。

本章書單：

・莫瑞・希爾弗斯坦（Murray Silverstein）、石川莎拉（Sara Ishikawa）、克里斯托佛・亞歷山大（Christopher Alexander）《建築模式語言》，牛津大學出版社（Oxford University Press），一九七七年出版。

20. 閱讀者的靈魂之窗——書櫃

不久之前，我和認識不久的朋友一起喝咖啡。我不是真的很了解她，但在我還沒喝第一口咖啡時，她就說：「我知道妳也喜歡閱讀。我想看更多書，而我需要一些點子……能告訴我妳最愛的小說，或是改變妳人生的書嗎？什麼樣的書都好。」

我喜歡和朋友或陌生人討論書，但正要開口回答時，我意識到她問了一個非常私人的問題。她的問題之所以如此艱困，除了根本不可能「只選出一本」喜歡的書以外，還有一個原因：我覺得她彷彿要我把自己的靈魂攤開在桌面上。

閱讀是很私人的，特別是當我們在分享自己為何與某本書連結的時候。在嘉布莉・麗文（Gabrielle Zevin）的《A・J・的書店人生》（*The Storied Life of A. J. Fikry*）這本好書裡，主角在東岸的偏遠小島上經營書店。這本書是寫給書本和書店的情書，因為這兩者擁有將人們連結起來的力量。其中有個段落，是A・J・向他的女兒解釋：「從一個人如何回答『你最喜歡的書是哪一本』這個問題，妳就已經知道所有需要知道的事了。」雖然只是小說虛構的人物，但A・J・無疑是個智者。

我不確定自己是否已經準備好，可以讓這個新朋友認識我的一切。我大可告訴她，我的愛書之一是伊夫林・沃（Evelyn Waugh）的《故園風雨後》（*Brideshead Revisited*）[41]，而且這本書我看了五、六次，是該作者的眾多著作中，我唯一喜歡的一本（我每一本都看過）。我喜歡它悲傷的基調、複雜的情節、詩意的修辭，也喜歡它的悲劇結局。這代表我是怎樣的人呢？假如這位朋友沒看過這本書，或許她會覺得我的選擇，意味著我是個喜歡乏味古典小說的人吧。

我也可以告訴她，我喜歡華勒斯．史達格納的《進入安全區》，因為故事情節讓人惆悵，文風美麗，而史達格納能從最平凡的日常事件中，演繹出動人的故事。我的新朋友或許會認為我浪漫得無可救藥，也可能覺得我不過是個鍵盤哲學家，或是只看嚴肅小說的自大狂。

既然朋友希望我推薦，我也能告訴她一些最近看的好書。我喜歡黛安娜．蓋伯頓的《異鄉人》系列，或許她會覺得我是欣賞好故事的人，並不懼怕長達六百頁的小說。又或許她會覺得我也是那種著迷於重口味情節的女性，喜

41 此作曾於一九八一年改編成連續劇，二〇〇八年亦有改編電影上映，臺灣譯為《慾望莊園》。

歡十八世紀的性感蘇格蘭戰士；或者我很浪漫，特別喜歡悲劇性的愛情。

或許，我也可以推薦輕鬆、詼諧的小說，像瑪麗莎．桑托斯的《讓愛走進來》。這是個真實而完美的浪漫喜劇，但可能不到足以改變人生的地步。我的朋友也許會因此覺得我很有趣、好相處，就像我最愛的書一樣。但她也可能會認為我只是個輕浮的閱讀者，淨讀些無足輕重的書。

我可以向她介紹安妮．法第曼的散文集《藏書票》，其中探索了新婚時和另一半合併書櫃的痛苦和快樂、坦承她曾在書籤上玩過的小把戲，並且自認是個有強迫症的校對者。當我說這些文章慧黠、有趣、會讓人笑出聲來，我的新朋友會覺得我是沒救了的書呆子嗎？（或許吧，但這也沒錯。）

閱讀通常被視為單人活動，這也是我喜愛閱讀的原因之一——閱讀是我喜歡的逃避方式，也是內向者的自處策略。

然而，閱讀同樣也是「社交」活動，並不僅限於個人，因為閱讀者喜歡透過好書建立連結。假如有一本書真的改變了我的人生，或者是成為我的新歡，甚至是一本帶給我很多樂趣的輕鬆小說，我都會迫不及待的想和我的閱讀同伴們分享。

當朋友問及我喜歡的書時，我得回答得很謹慎，但又非回答不可，畢竟如果不冒點風險，就不會有收穫——談論書本是和閱讀夥伴們拉近距離的捷徑，可以直接進入真正重要的話題。

不過這個捷徑，同時伴隨著些許危險……**當我們分享自己喜歡的書時，也必然分享了關於我們的一部分。**

莎士比亞說，眼睛是靈魂之窗，但閱讀者們都知道，一個人的書櫃也透露著同樣的訊息。

本章書單：

- 嘉布莉．麗文《A．J．的書店人生》，亞岡昆圖書（Algonquin Books），二〇一四年出版。
- 伊夫林．沃《故園風雨後》，查普曼與霍爾出版公司（Chapman & Hall），一九四五年出版。

21. 不只是單純閱讀，而且是……

你曾經翻閱過讓你覺得很棒的相簿嗎？或許放了你孩提時期的相片，或是你的巴黎、布拉格或匹茲堡之旅。你已經不記得那間餐廳、那個髮型、河邊的落日，或是讓你的兩歲小孩看起來像電影明星的墨鏡；然而，每當看到照片，所有的回憶都會湧上心頭。

度假時，我喜歡享受當下，而不是記錄每個瞬間，畢竟經由照相所記錄的經驗，依舊比不上實際的體驗。但我總覺得，這些照片是送給未來自己的禮物。照片能讓我即使過了幾個月、幾年、甚至幾十年之後，仍持續記得並享受這些瞬間。

同樣的感受，也體現在我的「閱讀日誌」上——如果給我看一本書的封面，我就會立刻回到閱讀的當下。書本是通往各種回憶的大門，但前提是，必須記得自己讀過那本書。若你問我今年看過最棒的書為何，我或許能想到個五、六本，但不會更多了。要是沒看到封面，我就想不起來；光是用想的話，那能回想起曾經看過的四分之一就很好了。要回想起上個月看的書已不容易，更何況是去年，或者五年、十年前的呢？我的記憶力固然令我失望，但只要翻一翻閱讀日誌，一切回憶都會浮現。

我寧願單純閱讀，而不是努力記下我正在讀的內容；我寧願專注體驗，而不是記錄下來。可惜我還是不情願的學會記錄，而且我得慚愧的承認，我的動機源自於嫉妒。

有位朋友勤奮的記錄她從小到大讀過的每一本書，如此持續了二十多年之久。儘管她的閱讀日誌只是本便宜的線圈筆記本（看起來沒有任何特別之處），但當我第一次聽說時，卻感到不尋常（但或許完全合理）的嫉妒。

有些閱讀者會一絲不苟的記錄下閱讀每本書的日期和地點，或是他們最喜歡的句子、印象深刻的場景，以及重要的體悟。我朋友則只記錄書名和日期，但這超過二十年的龐大閱讀數據，足以成為她閱讀生活的探險紀錄。

我本來沒有這樣的習慣，但看到我朋友的閱讀日誌後，我也亟欲擁有自己的紀錄，於是著手進行。我的閱讀日誌沒什麼特別的，只簡單寫下我閱讀的書名和日期，並用小小的星號標註我喜歡的書，縱使沒什麼花俏之處，卻專屬於我個人。

自從有了如此轉變，我開始對其他閱讀者記錄閱讀生活的方式，產生強烈的興趣。有些人像我一樣，簡單的記錄而已；有些會用星號或分數來為書評分；有些則寫了一頁又一頁的角色分析、名言佳句，或是值得思考的想法。有些閱讀者忠誠的使用特定的網站、應用程式或社交平臺，例如好讀網的書

單、釘圖（Pinterest，以張貼主題式照片為主的社交網站）的布告板，或是Instagram的獨創標籤。有些人執著於厚重的日誌本和鋼筆，有些則傾向使用方便搜索和分類的表單工具。

我有個朋友每天記錄一句話來維持她的閱讀日誌，而這不僅用來記錄她的閱讀回憶，也會提醒她其他回憶，因為就像許多閱讀者一樣，她的腦袋就是這麼運作的。另一位朋友則利用照相來記錄她讀的每一本書，並貼在剪貼簿裡，當作她的「書本之書」，而這非常適合放在咖啡桌上。

每個閱讀者的紀錄都有獨一無二的魅力，又有誰會不想要專屬自己的紀錄呢？然而，我發現自己有時會怠惰，連續一、兩個星期都沒有記錄，顯然那時我對活在當下的優先程度，大過於我替未來的自己留念的渴望。每當這樣的情況發生，我只要快速的檢視記錄的好處（記錄的理由和帶來的回饋），就能給我足夠的警惕，讓我想起改變的初衷，並再次拿出筆記本和筆。

雖然有些不好意思，但我必須承認——**如果沒有記錄讀過的東西，我就會全部忘記**。我會留下一些想法，並在被觸發時又想起來；但假如沒有參考我的日誌，我幾乎不記得自己讀過什麼。然而，只要有了日誌，光是參閱書名，就有著和旅遊照片一樣的功能。

我的日誌裡沒有什麼美麗的照片好欣賞，但我的大腦可以填入關於書本的細節，在我的心中構築出一幅畫面：閱讀的當下我在哪裡？書本從何得來？我為什麼一開始決定要翻開？當時我有什麼想法？我喜歡這本書嗎？這本書帶給我什麼感覺？這些訊息全來自閱讀日誌上的一句話。

有趣的是，我注意到自己在寫閱讀日誌時，並不是個公正的記錄者。當我開始記錄書本，我驚訝的發現這個舉動，竟改變了我的閱讀選擇。曾經有位朋友告訴我：「種什麼因，得什麼果。」很有智慧的一句話，表示記錄某事的這個行為，會改變我們對那件事的想法——也就是說，**我的閱讀日誌意外的成**

了我探索自己的工具。

我相信閱讀應該隨興所至，而一般來說，我選擇要看的書時，也是根據當下的心情。我相信我的閱讀生活最終會取得平衡，且不需要太多刻意的努力，就能累積豐富多元的書本類型。

然而，有了清楚的統計資料，我可以看到自己的閱讀習慣到底如何。有時我會感到失望，以為自己正朝著特定的方向努力，但紙頁上顯示的卻並非如此。有了真實的數據，我沒辦法不顧事實，自我欺騙說自己看了很多書，或是閱讀類型很多元。

透過日誌內容，我會注意到自己欠缺了某部分、其他部分則太浮濫，或是讀了太多已故白人男性的作品，又或是對於一些書沒有留下絲毫印象。我可沒辦法和自己的日誌爭辯，繼而在看到真相以後，興起改變的動力。

閱讀日誌也改變了我閱讀生活的另一個面向——寫下紀錄這件事激勵了

我讀更多書。確實，將一本書列在讀完的清單上很有趣，但閱讀日誌同樣也讓我注意到：生活是否太過忙碌而沒空閱讀？它會提醒我做點什麼，不要隔了這麼久才加一本書上去。

記錄閱讀不只造福了我自己，也幫助我推薦更好的書給其他閱讀者；當朋友希望我推薦適合的書，而我什麼都想不起來時，我總會翻開我的閱讀日誌。要在讀書會和閱讀夥伴討論自己喜歡或討厭的書，或是準備為朋友或陌生人找適合的書時，我也都會這麼做。

閱讀者們，假如你們寧願享受閱讀的當下，而不是記錄下來，我完全可以理解，因為我也比較喜歡單純閱讀，但請從我過往閱讀的悔恨中學習。**我不在乎你要透過什麼系統來記錄**（在這裡，系統的定義很寬鬆），**只要有記錄就好**，而且就從今天開始吧！因為一旦開始以後，你只會後悔為什麼沒有早一點開始。記錄下你讀的書吧，當作給未來自己的禮物，也當成旅行的日誌；幾年

之後，你就可以拿出這本紀錄，想起這段旅程的每個瞬間。

我們都是閱讀者。書本光臨我們的書櫃，讓我們家中充滿美好，更進駐了我們的內心，占據我們的思考。書本使我們享受無數個小時的獨處時光，也將我們和閱讀的同伴連結在一起。書本向我們招手，讓我們潛逃進書中世界一整個下午，也啟發我們重新想像自己的生命。

好的閱讀日誌不僅讓我們窺見自己如何度過人生，也訴說著我們人生的故事。

致謝

這是一本關於閱讀生活的書。假如在此感謝所有部落格的讀者或播客的聽眾，似乎有點蠢，但我還是要對所有因為「現代版達西太太」和《下一本該讀什麼？》而聚在一起的人，致上最深的感謝。我們都知道讓書本成為生命的一部分，是多麼珍貴的事。謝謝你們成為我生命的一部分，並啟發了這本書。

給霍蘭德．沙特斯曼（Holland Saltsman），謝謝你回答我所有關於書店的問題（我們都知道我有多少問題），在我陷入閱讀泥淖時，免費與我分享你近日讀的好書，並慷慨的在你的書店——聖路易的「小說鄰居」（The Novel Neighbor）——接待我，讓我能實現夢想，當了一天的書店員工。年輕的閱讀者之所以想在書店工作，一定是因為體驗過如小說鄰居這樣的美好書店。

給在喬治亞州經營獨立書店「書櫃」（The Bookshelf）的安妮・瓊斯（Annie Jones）、在華盛頓經營「瀏覽書城」（Browsers Books）的安德莉亞・葛菲斯（Andrea Griffith），以及在北卡羅來納經營「第一街」（Main Street Books）的艾達・費茲傑洛（Adah Fitzgerald），謝謝妳們傳遞了賣書者的聖火，回答我各種問題，並展現出獨立書店的精神，對於書本和賣書都充滿熱忱。我何其有幸能認識妳們，而我也深深希望妳們的書店就在我家附近。

安妮・史賓斯、賈瑟琳・傑克森、凱瑟琳・葛里森、莎拉・麥肯錫、珍・蒙特和艾莉兒・羅紅，謝謝妳們親切的閱讀了這本書的初期版本，並願意為我背書。對於妳們的仁慈和慷慨，再多的感謝都不夠，而我對於書本、閱讀（和寫作！）的愛讓我們得以認識彼此，感到由衷歡喜。

給肯塔基州路易斯維利市「聖馬修埃琳圖書館」（St. Matthews Eline Library）的可愛員工，謝謝你們陪了我們這麼多年，我們很想念你們。

給我的經紀人比爾・詹森（Bill Jensen），謝謝你從一開始就理解我的想法。給我的編輯蕾貝卡・古茲曼（Rebekah Guzman），謝謝妳總是向我保證，這本書比我想像得更好；也謝謝妳讓它變得更好，在過程中說服我放棄一些不好的點子。謝謝戴夫・路易斯（Dave Lewis）給了我願景；謝謝溫蒂・華索（Wendy Wetzel）讓這本書的成真，且使過程不那麼困難；謝謝美術設計派蒂・布林克斯（Patti Brinks），妳高雅的品味和可靠的判斷，讓這本書成為藝術；謝謝布里安娜・德維特（Brianna DeWitt）巧妙的替我宣傳；也感謝貝克出版社的整個團隊，我們的合作非常愉快。

給金吉爾・霍頓（Ginger Horton），謝謝你當我的第一個讀者。給凱蒂・伊爾梨（Katie Earley），謝謝妳照顧潘柏利（Pemberley），讓我可以好好寫作。給梅莉莎・克萊森（Melissa Klassen），謝謝妳的友誼，讓我能夠撐下去（或許該說，妳替我撐下去了）。

謝謝我的父母，讓我在書本方面和其他方面，從來都不虞匱乏。媽，謝謝妳那些年帶我去圖書館；爸，謝謝你帶我去書店無數次。謝謝你們給我的快樂回憶：「一個穿著條紋西裝的男人正走過水果店……。」[42]

給威爾，謝謝你的一切，特別是幫我釐清思緒的時刻。

給傑克森（Jackson）、莎拉（Sarah）、露西（Lucy）和西拉斯（Silas），謝謝你們如此可愛的陪伴，並在我失敗的介入你們的閱讀生活時包容我。我愛你們，我覺得你們是最棒的。

42 出自瑞典插畫家揚·洛夫（Jan Lööf）的童書《紅蘋果的故事》（*Sagan om det röda äpplet*），劇情描述一個穿著條紋西裝的男人來到水果店買蘋果，卻被老闆欺騙買了一顆塑膠青蘋果，並聽從老闆的指示，把青蘋果放在窗邊接受日照，認為這樣才會變成好吃的紅蘋果；隨後發生了一連串連鎖事件，最終讓條紋西裝男人意外吃到了紅蘋果。

國家圖書館出版品預行編目（CIP）資料

讀癮者的告解：文學巨著幾乎沒看過；沒給期限，一本書也看不完；有本書買了十年才翻開……怎樣？我就是正宗的讀癮患者／安妮．博吉爾（Anne Bogel）著；謝慈譯.--初版.--臺北市：任性，2019.11
240 面；14.8x21 公分.--（issue；012）
譯自：I'd rather be reading: the delights and dilemmas of the reading life
ISBN 978-986-97208-7-8（平裝）

1. 閱讀

019.1　　108014882

issue 012

讀癮者的告解

文學巨著幾乎沒看過；沒給期限，一本書也看不完；
有本書買了十年才翻開……怎樣？我就是正宗的讀癮患者

作　　者／安妮．博吉爾（Anne Bogel）
譯　　者／謝慈
責任編輯／張慈婷
校對編輯／郭亮均
美術編輯／張皓婷
副總編輯／顏惠君
總 編 輯／吳依瑋
發 行 人／徐仲秋
會　　計／林妙燕
版權經理／郝麗珍
行銷企劃／徐千晴
業務助理／王德渝
業務專員／馬絮盈
業務經理／林裕安
總 經 理／陳絜吾

出 版 者／任性出版有限公司
營運統籌／大是文化有限公司
臺北市 100 衡陽路 7 號 8 樓
編輯部電話：（02）23757911
購書相關諮詢請洽：（02）23757911 分機 122
24 小時讀者服務傳真：（02）23756999
讀者服務 Email：haom@ms28.hinet.net
郵政劃撥帳號／19983366　戶名／大是文化有限公司

法律顧問／永然聯合法律事務所
香港發行／里人文化事業有限公司“Anyone Cultural Enterprise Ltd”
地址：香港新界荃灣橫龍街 78 號正好工業大廈 22 樓 A 室
22/F Block A, Jing Ho Industrial Building, 78 Wang Lung Street, Tsuen Wan, N.T., H.K.
電話：（852）24192288　傳真：（852）24191887
Email：anyone@biznetvigator.com

封面設計／江慧雯　內頁排版／王信中
印　　刷／緯峰印刷股份有限公司
出版日期／2019 年 11 月初版
定　　價／340 元（缺頁或裝訂錯誤的書，請寄回更換）
I S B N　978-986-97208-7-8

Printed in Taiwan